$1.-

D1296257

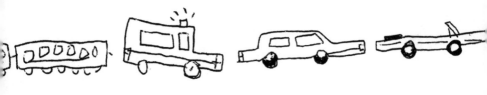

NORWOOD
Charles Portis

TRADUIT DE L'ANGLAIS (ÉTATS-UNIS)
PAR THÉOPHILE SERSIRON

C
am
bou
rak̦is

DU MÊME AUTEUR

Un chien dans le moteur, Cambourakis, 2014

Titre original :
Norwood

Illustration de couverture : Quentin Poilvet

© Éditions Cambourakis, 2017
pour la traduction française.

À la mort de M. Pratt, Norwood avait dû faire une demande de permission pour raisons familiales, vu qu'il ne restait maintenant plus personne à la maison pour s'occuper de Vernell. Vernell c'était la sœur de Norwood. Une fille avachie, épaisse et paresseuse. Elle était assez grande pour se prendre en charge, et bien assez large aussi, mais restait malgré tout un bon gros bébé. Quelques voisins près de l'autoroute s'étaient même demandé : « Qu'est-ce qu'elle va devenir, Vernell ? » Et ils étaient plusieurs, au bord de l'autoroute, à être allés poser la question à Frère Humphries qui leur avait répondu d'un air prévenant : « Aucune idée. J'essaye d'arranger quelque chose. » Il alla parler à un type de Texarkana qui, lui, s'arrangea avec le type de la Croix Rouge de la base Pendleton et le type de la Croix Rouge s'arrangea à son tour avec le lieutenant en charge des permissions. Norwood dut, par trois fois, aller voir le lieutenant pour aborder des sujets personnels et embarrassants. Sur son bureau, le lieutenant utilisait comme cendrier une douille de 105 mm. Pas mauvais bougre, il expédia l'affaire aussi bien qu'il put. Norwood prit sa permission, chose pourtant honteuse pour lui. À Oceanside il grimpa dans un bus long courrier en direction de sa ville natale de Ralph, au Texas – un trajet ponctué de nombreux arrêts. Le large autobus rouge et jaune venait à peine de démarrer quand Norwood réalisa avec un pincement au cœur que, dans la confusion du départ, il avait oublié de faire un détour par la Tente 1 pour y récupérer les soixante-dix dollars que Joe William Reese lui devait. Ce qui en disait long sur son désarroi. Ça ne ressemblait pas à Norwood d'oublier de l'argent. Joe William aurait dû venir le voir et le payer. C'est ce que lui aurait fait s'il lui avait dû de l'argent. Mais non, Joe William n'était pas de ce genre-là.

Penser à tout ça, après cette sale histoire de permission, déprima encore un peu plus Norwood. Il décida donc qu'il allait rester assis bien droit pendant tout le voyage, sans jamais admirer les paysages, ni dormir, ni tirer la manette de son fauteuil inclinable, ni s'allonger de trente ou quarante degrés comme il l'avait prévu. Il ne parlerait à personne non plus, sauf pour des réponses courtes à des questions directes et impersonnelles telles que « Avez-vous l'heure ? » ou « Dans quelle ville sommes-nous ? ». Mais il ne resta pas fâché longtemps. Très vite il s'endormit pendant 540 kilomètres, étendu au maximum de ce qu'autorisait l'inclinaison des sièges Trailways. À son réveil, il entama une conversation avec un gentil couple du nom de Remley. Les Remley étaient allés faire la récolte des asperges dans la Vallée impériale et ils étaient désormais sur le chemin du retour, salaires d'asperges en poche. Voyageant avec eux se trouvait leur jeune nourrisson Hershel, un petit gars gai et enjoué. Il était particulièrement calme et Norwood le leur fit remarquer.

Mme Remley tapota le bidon de Hershel et lui fit : « *Dis* je ne suis pas toujours si gentil. » Hershel sourit mais ne prononça pas un mot.

« On dirait bien qu'il a avalé sa langue, dit Norwood.

– *Dis* je l'ai pas avalée, insista Mme Remley. Dis au monsieur, je sais très bien parler quand j'en ai envie.

– Et comment tu t'appelles ? tenta Norwood. C'est quoi ton nom ?

– *Dis* Hershel. *Dis* Hershel Remley, c'est ça mon nom.

– Quel âge as-tu, Hershel ? Dis-moi quel âge tu as.

– *Dis* j'ai deux ans.

– Il faut lever ces doigts-là, montra Norwood.

– Ça il sait pas faire, nota Mme Remley. Mais il sait comment souffler une allumette. »

Norwood parla chasse à la caille avec M. Remley. Mme Remley

parla de sa terre maternelle près de Sallisaw. Hershel fit différents bruits mais ne prononça toujours aucun mot à proprement parler. Mme Remley n'était pas désagréable à regarder. Norwood se demanda comment elle avait bien pu épouser M. Remley. Même si, après tout… il avait l'air de s'y connaître en chien de chasse. Norwood leur proposa de s'arrêter à Ralph et d'y rester avec lui quelques jours. Ils pourraient, comme ça, emprunter son chien à Clyde Rainey et aller chasser la caille. À leur arrivée, Vernell était au lit, désespérée, inconsolable. Elle n'avait même pas trouvé la force d'assister à l'enterrement. Norwood installa les Remley dans l'ancienne chambre de M. Pratt et déplia pour lui un lit de camp dans la cuisine. Les Remley n'inspiraient pas confiance au Frère Humphries qui ne manqua pas d'en faire part à Norwood. Ou plutôt de lui faire remarquer qu'avec Vernell dans un tel état, alitée et ainsi de suite, eh bien c'est-à-dire que ma foi, il se demandait s'il avait vraiment bien fait de repêcher deux trimardeurs pareils dans l'autobus. Norwood lui dit que c'était l'affaire de deux jours, tout au plus. Les Remley décampèrent au cours de la nuit, emportant avec eux un poste de télévision, un fusil à pompe Ithaca Featherweight calibre 16 et deux serviettes de toilette. Personne ne fut capable de comprendre comment ils avaient réussi à sortir de la ville avec tout ce barda, l'officier de garde cette nuit-là pas plus que les autres. L'officier de jour passa voir l'endroit où le poste de télévision s'était trouvé, et prit quelques notes.

Norwood et Vernell n'habitaient pas tout à fait dans Ralph mais juste de l'autre côté de la ville. M. Pratt avait toujours aimé vivre sur les lisières, ou à cheval entre deux endroits, même quand on lui en avait laissé le choix. Il était alcoolique et mécanicien. Avant sa mort, ils avaient beaucoup bougé de long en large sur la U.S. Highway 82, entre les champs de pétrole et les parcelles de coton, entre Stamps, Arkansas et Hooks, Texas. Il y avait dans cette portion de bitume d'autoroute quelque chose que M. Pratt aimait profondément. Les Pratt semblaient s'accrocher à ses flancs comme des ragondins. Une fois, pas loin de Stamps, ils avaient vécu dans une maison coincée entre un stand de glace Tastee Freeze et une église méthodiste en parpaings. La maison avait une affiche colorée sur un des côtés où était écrit FÊTE FORAINE ROYAL AMERICAN 6-12 OCT. EXPOSITION DE BÉTAIL D'ARKANSAS. LITTLE ROCK. De l'autre côté de la maison, avec un gros pinceau et un pot de Sherwin-Williams *blanc de lait*, quelqu'un avait écrit ACTES 2 : 38.

Plus tard ils emménagèrent dans une maison au toit de tôle posée au milieu d'un champ de gaz, juste sous un brûleur monumental qui flambait jour et nuit. De gros scarabées vert cuivré de la taille d'une souris venaient des quatre coins du Southland pour l'admirer et y mourir. La nuit, leurs petits corps grillés chutaient en ricochant sur la tôle du toit.

Les Pratt se lavaient et se rasaient sur leur porche, vu que c'était là où se trouvaient la bassine et le miroir. Et puis on y voyait mieux dehors. La petite Vernell – à l'époque elle était petite – se mettait dans la cour en culotte et agitait un bâton ou un carburateur à l'attention de tous ces automobilistes qui traversaient le pays. Les Pratt déménageaient tellement souvent d'un côté de la route à l'autre qu'elle dut même finir par en saluer quelques-uns dans les deux sens, ces vendeurs professionnels dans leurs Dodge coupés noirs, sans banquettes arrière. M. Pratt n'avait de préférence pour aucun des deux côtés de la U.S. 82.

Quand ils déménagèrent à Ralph, Norwood quitta l'école, alla travailler à la station essence Nipper Independent Oil Co., et avec ses premiers sous il aménagea une salle de bains pour sa mère. Il fit toute la menuiserie lui-même et s'occupa aussi des installations. La plus grande partie du matériel était d'occasion – le chauffe-eau, les toilettes et le bois de construction – mais il acheta une baignoire neuve chez Sears, une *vraie* beauté. Basse, moderne et élégante, elle avait un machin intégré pour le savon, et dans le fond, un motif de vagues en relief. Mme Pratt fut ravie et le fit savoir.

Mais ça faisait déjà tellement d'années qu'elle était partie, et maintenant le vieux mécanicien aussi. Lui qui avait dû secouer la tête, s'essuyer les mains et dire à au moins un millier de personnes qu'ils perdaient de l'huile par leurs coussinets de bielles, avait lui aussi fini par la rejoindre. Norwood avait raté l'enterrement, mais Clyde Rainey y était allé et lui avait dit que l'affaire s'était bien passée. Bien plus de gens que ce qu'on aurait pu imaginer s'étaient déplacés. Il y avait eu tout un tas de fleurs aussi. Les pompes funèbres avaient frotté M. Pratt à la poudre de savon Boraxo, et Clyde lui dit qu'il ne l'avait jamais vu si propre et rayonnant.

Norwood reprit son ancien poste à la station Nipper et Clyde fut bien content de le voir revenir. Norwood était un bon travailleur et n'avait pas une réputation de voleur. La station proposait des encas et de l'essence pas chère, elle acceptait toutes les cartes de crédit. Les toilettes fermaient à clé pour la sécurité des clients. À l'intérieur de la station ils avaient installé un miroir légèrement incliné, pour tromper l'œil et rendre l'endroit plus grand. À l'extérieur, des bannières, des fanions tapageurs et d'astucieuses enseignes animées flottaient, tournaient et tourbillonnaient au-dessus des pompes. Sur le toit de la station un gigantesque panneau représentait un grand visage pâle et rond chaussé de lunettes. Un visage rayonnant de bienveillance. Il s'agissait évidemment de Nipper lui-même, le célèbre pétrolier de Houston. On lui avait aussi fait un petit corps de bandes dessinées, une main tenant un tuyau d'essence et l'autre tendue vers le public dans un geste théâtral, paume en l'air, qui faisait penser à Porky Pig quand il dit : *That's all folks !* Une ligne écrite le long du bord inférieur du panneau, et mise entre guillemets pour indiquer qu'il s'agissait d'un message venant tout droit de la plume de M. Nipper disait : « *Merci de voyager avec Nipper. À très vite chez nous !* »

Vernell pleura et tourna en rond dans la maison pendant près de deux mois. La femme de Frère Humphries et les autres bonnes femmes de l'église leur apportaient gentiment de quoi manger. Elles venaient avec du poulet frit, de la salade de pommes de terre, des gâteaux à la noix de coco, des macaronis au fromage, des patates douces au four recouvertes de marshmallows fondus. La dame de l'Enseignement ménager s'invita et donna à Vernell quelques conseils sur la manière de tenir son foyer ainsi que quelques prospectus. Une fois la femme partie, Vernell regagna son lit et oublia tous ses conseils. Mais, les jours passant, elle finit par reprendre ses esprits. Un matin elle se leva, se rinça le visage et prépara son petit déjeuner à Norwood. Comme elle était encore un peu patraque le docteur conseilla à Norwood de ne pas la faire travailler trop dur. Il continua donc à prendre en charge l'essentiel de la cuisine et du ménage, et resta dans les parages, s'occupant avec des petits projets personnels.

Parfois il s'asseyait sur les marches de derrière, coiffé d'un chapeau de cow-boy noir pincé au milieu, et jouait de la guitare – seulement deux ou trois accords en fait – en chantant *Always Late...* *With Your Kisses* avec la même voix cassée que Lefty Frizzell et *China Doll* comme Slim Whitman, dont les notes hautes ne sont pas faciles à atteindre. Sa guitare ne valait pas grand-chose. C'était un modèle d'Allemagne de l'Est, bas de gamme avec des cordes en nylon achetées à l'économat de la base. Il passait aussi beaucoup de temps sur sa voiture. Il avait acheté pour cinquante dollars une Chevrolet Fleetline de 1947 avec des nids de guêpes dans le radiateur et la radio. Il remplaça des segments d'étanchéité, décrassa des soupapes et réussit à la remettre en état de marche. Il desserra les culbuteurs et s'accommoda du bruit tant que Vernell – qui savait comment faire rugir un moteur – ne grillait pas les soupapes. Elle réussit à couler une bielle à la place.

Il retapa aussi la maison. Il arracha le revêtement extérieur en fausse brique – M. Pratt appelait ça de la brique de nègre – et passa, en trois jours, deux couches de peinture blanche sur les murs. Il nettoya le jardin devant la maison, se débarrassa de toutes les pièces de fourgon, de tous les différentiels, blocs-moteurs et pare-chocs démontés qui traînaient, et décrocha du plaqueminier le panneau marqué d'un JE NE PRÊTE PAS D'OUTILS. Il tailla à la faux les herbes dans le grand fossé devant la maison et flanqua une bonne dérouillée aux moustiques en y balançant quatre-vingts litres d'huile de vidange. Dans l'allée, il fit verser et étaler deux chargements de gravier rond et peignit à la chaux de grosses pierres qu'il installa en bordure. Comme il restait encore un peu de chaux il y trempa d'autres pierres, avec lesquelles il traça l'emblème globe-aigle-ancre sur la pente du fossé qui faisait face à l'autoroute. En dessous, il inscrivit son matricule.

Un soir après le travail il rentra à la maison et dit : « J'en ai ma claque de bosser dans cette station, Vernell.

– Qu'est-ce qui va pas, frangin ?

– À chaque fois que tu graisses un pick-up t'as des machins qui te tombent plein les yeux, et puis dans les cheveux et dans le dos. T'as la belle vie toi, tu sais ?

– Pourquoi tu te trouves pas une casquette ?

– J'en ai plein des casquettes, Vernell. J'ai pas besoin d'une autre casquette. Si tout ce dont j'avais besoin c'était une casquette, je serais au poil.

– Qu'est-ce que tu veux faire ?

– Je veux aller chanter au Louisiana Hayride.

– Et alors quoi, t'as qu'à y aller et chanter ?

– Tu peux pas simplement y aller comme ça et chanter. Il faut qu'ils te connaissent un peu. Tu dois passer une audition. Ils vont pas laisser chanter tous ceux qui en ont envie. Tu dois penser que les gens se présentent au bureau de la KWKH Radio et disent simplement, je veux passer dans le Hayride.

– T'es au moins aussi bon que ceux que j'ai entendus y jouer.

– Je sais bien que je suis assez bon pour y passer. C'est pas le problème.

– Bon écoute, file-moi un demi-dollar, je vais au spectacle avec Lorene.

– Que je te file un demi-dollar ?

– Je vais au spectacle avec Lorene.

– Moi aussi j'aimerais bien avoir quelqu'un pour me donner un demi-dollar. Je dois travailler pour les gagner, les miens. Ils me font pas de cadeau à la station. Je dois travailler pour gagner chaque centime, et ensuite je dois payer des impôts dessus. Et je les ai encore jamais vus revenir ces impôts.

– Je sais, tu m'as déjà dit.

– On dirait pas pourtant. Et laisse-moi te dire autre chose. Peut-être bien que j'aurais de l'argent si les gens voulaient bien me payer ce qu'ils me doivent. Joe William Reese me doit soixante-dix dollars, et à ce jour, il ne m'a encore rien payé.

– Tu me l'as déjà dit.

– Il va jamais me le payer cet argent.

– Peut-être un jour.

– Nan, il le fera pas.

– Peut-être que si. Tu devrais lui écrire ou même l'appeler. Lui, il a peut-être bien oublié, de son côté.

– Tu ne le connais même pas, Vernell. Si tu le connaissais tu dirais pas ça. »

Après que Vernell fut partie au spectacle, Norwood retourna à la station pour utiliser le téléphone. Il appela la maison des Reese à Old Carthage, Arkansas. Une vieille femme qui parlait très vite décrocha. Elle lui dit que Joe William était passé, qu'il avait retiré son uniforme, qu'il avait filé, et qu'apparemment il serait aujourd'hui à New York.

« Qu'est-ce qu'il fabrique là-bas ?

– Mon Dieu, ça je n'en sais rien. Ce n'est pas à moi qu'il faut demander.

– Quand est-ce qu'il sera de retour ?

– Il n'a pas dit. On ne l'attend pas de sitôt. Moi pas, en tout cas. Old Carthage est bien trop petite pour Joe William. Qui êtes-vous ?

– Norwood Pratt de Ralph, Texas. Je voulais lui parler d'une certaine somme d'argent qu'il me doit.

– Qui ? Joe William ?

– Oui m'dame.

– C'est quoi votre nom déjà ?

– Pratt. Norwood Pratt.

– Je ne crois pas qu'on connaisse aucun Pratt au Texas. Il y a un J. B. Pratt ici qui est en charge de nettoyer le tribunal. On le payait parfois pour venir aiguiser les ciseaux. Je ne sais pas quand je l'ai vu pour la dernière fois ce vieux bonhomme. Il a toujours fait du bon travail.

– Joe William et moi on était ensemble à l'armée.

– C'est pas vrai ?

– Si m'dame.

– Eh bien je ne sais pas trop quoi vous dire. Je suis sa grand-mère. Mais je suis une Whichcoat. C'est-à-dire, j'ai épousé un Whichcoat. Ma fille était une Whichcoat avant d'épouser le père de Joe William. Les Reese sont tous venus ici du Tennessee après la guerre. Il y avait encore la scierie à l'époque, et le compresseur aussi. Enfin, cela dit on a encore un compresseur, mais ils ont démoli le plus gros, y'a bien des années de ça. Finch c'est mon nom de jeune fille. Vous avez sûrement entendu parler du vieux juge Finch ? Il était juge fédéral dans le coin pendant un bout de temps. Tous les journaux ont parlé de lui.

– Vous auriez l'adresse de Joe William ?

– Il faudra que je demande à ma fille. »

Norwood écrivit une carte à Joe William, l'adressa à New York, et pendant trois semaines garda un œil anxieux sur le courrier. C'était pire qu'attendre un colis de chez Sears. Rien ne vint. Il en écrivit une autre et y colla un timbre de plus. Toujours aucune réponse. Clyde Rainey lui demanda : « Qu'est-ce qui te tracasse, Norwood ?

– Rien.

– T'as pas la tête au travail, on dirait.

– Tout va bien.

– T'es sûr que tu te sens bien ?

– Ça va, Clyde. Si j'avais un problème j'irais voir le docteur.

– Moi je te trouve mauvaise mine. »

Lors d'une chaude soirée d'été, après que le Business & Professional Women's Club* de Ralph avait abandonné tout espoir

---

* Business & Professional Women's Club (BP&W Club) : organisation d'aide, de promotion et de défense des droits des femmes dans le monde du travail.

d'apprendre à Vernell comment taper à la machine, Norwood était dans le jardin occupé à couper l'herbe avec une tondeuse manuelle empruntée à la station. Il retira sa chemise, et puis la remit. Les moustiques étaient féroces. Assise sur le porche, une bassine sur les genoux, Vernell écossait des petits pois. Elle dit : « Je me demande si de là-haut, papa et maman peuvent voir comme le jardin est joli ce soir. » Norwood arrêta de tondre. « J'en sais rien, Vernell. Est-ce que t'es allée parler à la femme de l'hôtel aujourd'hui, comme je t'avais demandé ?

– J'avais des choses à faire, en fait. J'y passerai dans la semaine.

– Pas question. Tu y vas à la première heure demain matin. »

Elle se mit à pleurer, prit des aspirines et alla se coucher, mais le lendemain matin Norwood la tira du lit, la fit s'habiller et s'épiler, et lui dit qu'à compter d'aujourd'hui elle allait travailler au café du New Ralph Hotel, sinon ils allaient devoir s'expliquer.

« Je me sens pas bien, frangin, plaida-t-elle. Je sais pas comment faire. Je vais me mélanger dans les commandes.

– Je t'ai dégoté ce boulot et je compte bien que t'y ailles. Mets-toi ça dans le crâne.

– Et si je me trompe dans les commandes ?

– Eh bah, fais l'inverse, te trompe pas.

– Je crois pas que j'y arriverai.

– Mais si.

– Mais non.

– Écoute, tout ce que t'as à faire c'est écrire sur les tickets ce qu'ils veulent et les rapporter jusqu'à la cuisine. Tout le monde peut le faire. Regarde. Si un type rentre, tu lui donnes un verre d'eau et un menu. Après il va lire le menu et choisir ce qu'il veut. Bon. S'il veut le numéro deux, tu écris numéro deux de ce côté-ci du ticket et tu mets le prix là. Il voudra peut-être aussi du thé. Bon, mets un grand T sous le numéro deux et le prix du thé là sous le prix du numéro deux. Ensuite quand il a fini tu additionnes tous les prix et tu rajoutes les taxes, et c'est sa note. Tu lui demandes s'il voudra autre chose et puis tu lui donnes sa note.

– Je sais tout ça.

– T'as trop peur des gens, Vernell. C'est ça ton souci. »

Le nouveau boulot se passa un peu trop bien. L'argent et la situation montèrent à la tête de Vernell. Elle arrêta de pleurer. Sa santé et son dos s'améliorèrent. Elle commença même à faire du charme. Elle devenait chaque jour plus sûre d'elle-même, plus assurée, et à la maison, elle n'hésitait plus à faire étalage de ses nouvelles connaissances du Lions ou du Kiwanis Club. Norwood l'écoutait, dans un silence glacial, alors qu'elle rapportait les meilleurs ragots de la ville et parlait d'un air entendu de croque-morts, d'avocats ou de vendeurs de voitures. Norwood n'avait rien à dire en retour. Personne dont le nom ne valait d'être mentionné ne passait par la station Nipper. Il n'avait pour clients que des nègres du coin, des gamins du lycée, des repris de justice tentant d'échapper à des poursuites, et autres automobilistes de passage à l'esprit économe. La plupart d'entre eux voyageaient même avec leur propre mélange d'huile de moteur sur la banquette arrière, de l'huile plus étrange et bien moins chère que tout ce que l'on pouvait même trouver dans les rayons de la station Nipper. Certaines semaines, grâce à ses pourboires, Vernell se faisait plus d'argent que Norwood. C'était une situation terrible et Norwood n'aurait jamais imaginé que les choses allaient encore empirer en l'espace d'une nuit.

Sans aucun préavis, Vernell épousa un ancien combattant invalide du nom de Bill Bird qui s'installa avec eux dans la petite maison au bord de l'autoroute. Bill Bird était plus âgé. Il s'était retrouvé à Ralph sans raison apparente après avoir dit adieu à l'hôpital des Anciens Combattants de Dallas. Il s'était pris une chambre au New Ralph Hotel, payée au mois. Il passait son temps au café, assis à la table d'angle sous le ventilateur, lisant le *Reader's Digest* et *Family Circle* et étudiant les graphiques du *U.S. News & World Report*. Vernell s'enticha aussitôt de Bill Bird. Elle aimait son air calme et pensif et son érudition. Elle s'assurait que sa tasse de café restait toujours bien remplie, venait s'asseoir à sa table pendant les temps morts pour l'écouter parler. À sa façon, Bill Bird était lui aussi attentif à Vernell.

Un après-midi elle s'exclama : « Ma parole, Bill, tu es toujours en train de lire. Tu dois finir par avoir drôlement mal aux yeux. »

Bill Bird se sortit d'une transe de lecture hypnotique, posa son journal et se leva pour lui proposer une chaise. « Assieds-toi, Vernell. Détends-toi une minute. Tu travailles trop dur.

– Je ne dis pas non, mais alors juste une minute. »

Bill Bird pointa sa pipe sur le journal. « Je lisais un petit article intéressant, là, dans ce *Reader's Digest*. Un professeur de musique retraité de Fort Lauderdale, Floride, a appris à son fox-terrier à jouer *Springtime in the Rockies* à la guimbarde. Il arrive à la tenir à l'aide d'une sorte de collier en fil de fer. Comme cela.

– Alors là ! dit Vernell. Un chien qui joue de la musique. Je voudrais bien voir ça. Sûre que c'est mignon.

– Ce n'est pas ce que j'entendais par là, dit Bill Bird. Je veux dire, évidemment que c'est mignon, mais c'est aussi bien plus que ça. Ça prouve surtout que les animaux sont bien plus intelligents que les gens ne le pensent. Je crois en toute sincérité qu'un jour nous arriverons à leur parler. Par là j'entends communiquer d'une manière ou d'une autre. Il y a beaucoup de recherches très intéressantes dans ce domaine.

– Qu'est-ce qu'il sait chanter d'autre, ce chien ?

– Oh, ils n'en disent rien. Ils précisent seulement qu'il se limite à quelques mélodies simples à cause de ses petits poumons. Mais attention il ne chante pas, Vernell. Il joue les chansons avec une guimbarde. Il s'appelle Tommy.

– J'aimerais bien entendre ce petit garnement jouer. Ils devraient le mettre à la télévision un de ces jours. »

Bill Bird fredonna l'ouverture de *Springtime in the Rockies* et y réfléchit une minute. « Ce n'est vraiment pas facile comme mélodie, d'ailleurs. C'est même une chanson sacrément difficile pour un chien.

« – Tu dois en connaître des choses, sur tous les sujets du monde, Bill. Quelqu'un pourrait s'asseoir ici et écrire un livre rien qu'en t'écoutant.

– Oh, je n'en sais rien, Vernell. Mais je veux bien admettre une chose : j'ai toujours été quelqu'un de curieux. Du monde tout autour de moi. Et comme de nombreux scientifiques je suis intéressé par le *pourquoi* des choses, pas uniquement par le *quoi*. Je me dis parfois que j'aurais certainement été plus heureux si je n'avais pas eu un esprit aussi inquisiteur.

– Tu pourrais pas. Tu le sais bien.

– Certaines personnes laissent filer leur vie entière sans jamais se soucier de rien d'autre que du *quoi*. Ils ne posent aucune question.

– Ils ne se rendent pas compte.

– Ils se contentent de répéter les mêmes schémas, les mêmes vieilles routines, sans jamais réaliser que leurs vies pourraient être plus riches, plus pleines.

– C'est tout ce qu'ils connaissent.

– Qu'est-ce que monsieur Tout-le-Monde y connaît en psychologie ?

– Rien. Il n'y connaît rien.

– Combien d'entre eux peuvent même voter intelligemment ? Je lisais l'autre jour dans le supplément du *National Enquirer* qu'il y a plus de personnes capables d'identifier Dick Tracy que le vice-président.

– Les gens devraient lire plus. Et pas seulement des bandes dessinées. »

Norwood reconnut Bill Bird au premier coup d'œil. Il avait bien assez entendu Vernell en parler, mais ne s'était pas douté qu'il se tramait quelque chose. Et voilà que débarquait cet homme d'âge mûr, cet étranger, dans la maison de Norwood, à sa table de petit déjeuner, dans sa salle de bains. Il était difficile de savoir comment, à quel endroit ou même dans quelle guerre Bill Bird s'était blessé. Il mentionnait parfois le Panama. Il ne semblait rien y avoir en particulier qui n'allait pas chez lui, hormis une constipation chronique et un métabolisme lent. Il avait encore tous ses membres et un bon appétit.

Bill Bird recevait beaucoup de courrier marqué de tampons officiels ainsi que, très certainement de manière régulière, une pension. Mais il n'offrit pas pour autant de participer en quoi que ce soit aux dépenses du foyer. Après les repas, il se retirait dans sa chambre et fermait la porte. Il y gardait un petit sac en toile rempli d'un surplus de douceurs pour son usage personnel – saucisses de Francfort, olives, biscuits aux pépites de chocolat. Il n'avait aucun problème à faire la transition entre sa vie à l'hôtel et celle à la maison. Il déambulait de pièce en pièce, les pieds nus dans une paire de mocassins de l'armée brun clair, avec sur le dos un vieux peignoir en velours côtelé aux insignes de l'hôpital des Anciens Combattants. Il faisait des allers-retours à la salle de bains avec ses magazines. Toutes les heures il faisait un grand tour de la cuisine pour jeter un œil à l'intérieur du four, du réfrigérateur, de tous les placards et de la boîte à pain, autrement dit dans tout ce qui avait une porte.

Norwood n'aimait pas la voix de Bill Bird. L'homme était originaire d'un patelin du Michigan et Norwood trouvait la séche-resse de ses voyelles de Yankee particulièrement offensante. Ils se disputèrent à propos de la salle de bains. Bill Bird s'était fait un petit chez-lui là-dedans. Il utilisait toute l'eau chaude. Il remplis-sait le placard de dizaines de petites bouteilles couvertes d'écriture, encerclant le matériel de rasage de Norwood, le repoussant peu à peu sur le rebord de la fenêtre. Il utilisait les lames de rasoir de Norwood. Il laissait des poils collés sur le savon – courts, gris, les poils de Bill Bird, indéniablement. C'est Norwood qui avait construit la salle de bains, elle lui appartenait. Imaginer les fesses de Bill Bird glissant çà et là sur le fond de la baignoire Sears flam-bant neuve lui était donc pour le moins déplaisant. Ils se dispu-tèrent à propos du corps des Marines que Bill Bird considérait comme franchement surfait. Il fondait son avis aussi bien sur des articles de magazine que sur son expérience personnelle. Les

Marines ont beau chanter *Halls of Montezuma**, dit-il, il n'y avait eu en réalité qu'une poignée de Marines au siège de Chapultepec. Ce sont les armées régulières, comme d'habitude, qui avaient remporté la bataille.

Norwood rétorqua que des gens bien informés lui avaient dit que certaines divisions de l'armée en Corée en 1950 avaient abandonné armes, équipement et même blessés lors d'une attaque chinoise. Beaucoup de ces blessés avaient d'ailleurs été sauvés par les Marines. Bill Bird affirma que c'était inexact. Il informa également Norwood que frapper un ancien combattant handicapé était un crime fédéral, sans parler des coûteux dommages et intérêts qu'un passage au tribunal ne manquerait pas de lui infliger. Ils se disputèrent également à propos du projet de Norwood de quitter son boulot à la station Nipper pour s'élancer bille en tête vers Shreveport et une carrière musicale dans le Louisiana Hayride, le célèbre programme radio de country & western diffusé tous les samedis soir sur KWKH Radio, une station AM de 50 000 watts qui dessert toute la région Ark-La-Tex**. Il était imprudent, dit Bill Bird, de quitter un emploi avant d'être certain d'en avoir un autre. Vernell confirma que cela lui paraissait aussi tout à fait sensé. Bill Bird dit que quand on a un emploi, on peut facilement en trouver un autre, Vernell acquiesça. Il continua en ajoutant qu'il n'était pas simple de trouver un emploi quand on n'en avait pas déjà un. « Bill dit vrai », ajouta Vernell. Ils se disputèrent à propos de la dette de soixante-dix dollars et sur les meilleurs moyens pour les récupérer. Bill Bird dit que la meilleure approche serait de payer un avocat dix ou quinze dollars pour écrire au gars une lettre d'intimidation. « Et alors je me retrouverais à sec de quatre-vingt-cinq dollars », dit Norwood. Bill Bird dit que, pour sa part, il commençait de toute façon à en avoir marre d'entendre parler de ces maudits soixante-dix dollars.

*Halls of Montezuma : hymne officiel du corps des Marines de l'armée des États-Unis.

**Ark-La-Tex : région socio-économique se trouvant à l'intersection de l'Arkansas, de la Louisiane, du Texas et de l'Oklahoma. Le centre de cette région se trouve à Texarkana.

L'exiguïté de la maison Pratt était telle que les conversations à trois voix pouvaient être – et étaient même souvent – menées depuis trois pièces différentes, sans que les interlocuteurs ne soient jamais en face l'un de l'autre. « T'es vraiment pas croyable, frangin, dit Vernell, qui ce soir-là, repassait des vêtements dans la chambre. On gagne tous les deux bien nos vies maintenant, on a réparé la maison, t'as ta voiture et Bill est ici et tu voudrais tout fiche en l'air pour filer à Shreveport. Alors que tu connais personne à Shreveport. »

Norwood était assis à la table de la cuisine en train de manger un plat qu'il venait de réchauffer. Il était rentré tard à la maison après le travail et ils ne l'avaient pas attendu pour dîner. Il gardait sa casquette à table, la Nipper vert pâle avec une visière noire. C'était un modèle utilisé par la police de Miami en 1934. Il maintenait son pouce gauche enfoncé dans un verre d'eau glacée. Un pouce collant de mousse à raser, douloureux, gonflé et violet. Il avait passé la journée à réparer les uns après les autres les pneus crevés de trois gros camions de la voirie, et en démontant une des roues, le cercle d'une des jantes s'était refermé sur son pouce.

« En tout cas, une fois que tu seras à Shreveport et à court d'argent, fit la voix de Bill Bird teintée de son accent du Michigan à travers un nuage de vapeur de la salle de bains, nous ne pourrons pas t'en envoyer, Vernell et moi. »

Norwood piqua dans une saucisse avec sa fourchette et la lança d'un coup sec par la porte de la salle de bains.

« Hé ! dit Bill Bird. Ça suffit ! » Il émergea de la vapeur vêtu d'un pantalon de convalescence vert de l'hôpital des Anciens Combattants, maintenu à la ceinture par un cordon. Mis à part ses chaussures brunes, c'était tout ce qu'il portait. Il tenait la saucisse, à plat sur sa paume ouverte, comme une boussole, et l'étudiait.

« C'est toi qui as lancé ça, Norwood ?

– Qu'est-ce que c'est Bill ?

– Tu sais très bien ce que c'est. C'est une saucisse.

– Je me demandais ce que c'était, dit Norwood. J'ai vu un bras passer par la porte de derrière et balancer quelque chose à travers la pièce. Je me suis dit qu'il y avait peut-être un message dessus. »

Bill Bird lança vers la chambre : « Vernell, viens par là une minute. J'ai besoin de toi. Norwood jette de la nourriture. »

Vernell entra dans la pièce et regarda le torse nu de Bill Bird. « Bon Dieu, Bill, habille-toi. Norwood essaye de manger son dîner.

– Regarde ça, dit Bill Bird.

– C'est une saucisse, dit-elle.

– Je sais ce que c'est. Il me l'a lancée dessus dans la salle de bains.

– Pourquoi ça ? Pourquoi est-ce qu'il voudrait te lancer une saucisse dessus ?

– Je n'en sais rien Vernell. C'est un mystère pour moi aussi. Mais je sais en revanche qu'il est tout à fait possible d'éborgner quelqu'un comme ça. »

Elle eut un petit rire. « Je pense pas qu'on puisse éborgner quelqu'un avec une saucisse. » Puis elle lut sur le visage de Bill Bird que ce n'était pas la réponse qu'il attendait. Elle se tourna vers Norwood. « Qu'est-ce qui t'a poussé à faire un truc pareil, frangin ? »

Norwood continua à manger. « Vous pourriez rendre quelqu'un marteau, vous deux, dit-il. À causer, comme ça, de saucisse toute la nuit.

– On a l'impression d'avoir affaire à un enfant, dit Bill Bird. Tu sais j'ai vraiment essayé de m'entendre avec lui, Vernell, mais il est impossible de le traiter en adulte responsable. Il devrait avoir à s'excuser pour ça. Et, là maintenant serait le bon moment pour le faire.

– Frangin, dis à Bill que t'es désolé. Allez. Ça va pas te tuer.

– Je ne vois pas pourquoi il faudrait que je m'excuse si quelqu'un est entré dans la maison et lui a jeté une saucisse dessus. Tout ce que j'ai pu voir c'était sa manche, Bill. Je pourrais à peine te dire de quelle couleur elle était, tout s'est passé si vite.

– Je vais te dire ce qu'il va advenir de ton frère, Vernell, dit Bill

Bird. Il va finir au pénitencier. Il y a là-bas des gens qui sauront lui faire comprendre ses erreurs. Tu peux compter là-dessus. J'ai lu un article l'autre jour sur les sept signes révélateurs de tendances criminelles chez les jeunes. Je l'ai mis de côté pour que tu le lises. Je crois que tu seras étonnée, et à juste titre, d'apprendre que ton frère et Alvin Karpis partagent le même profil psychologique.

– Mon frangin te taquinait, Bill, c'est tout.

– Ce que j'en dis… À moins qu'il ne change sérieusement son attitude, il sera derrière les barreaux d'ici cinq ans, j'en mets ma main à couper. Enfin bref, je déclare l'incident clos. »

Norwood se prépara deux sandwichs à la mélasse Br'er Rabbit et alla les manger sur le porche en attendant que l'eau du bain soit chaude. Au loin sur l'autoroute, derrière la station Nipper, les lumières de la patinoire brillaient d'un éclat jaune terne, les ampoules comme des insectes à basse tension. La musique allait et venait en lourdes vagues. C'était un disque de boogie-woogie, un organiste qui jouait *Under the Double Eagle*. Norwood jeta un de ses sandwichs à un chien errant qui traversait la ville vers l'Est, probablement vers Texarkana, et le regarda n'en faire qu'une bouchée. Puis il sortit et démarra la Fleetline, et pendant une minute il écouta le cliquetis de la bielle encrassée et des culbuteurs desserrés – on aurait dit un tracteur John Deere à deux cylindres – avant de se diriger vers la patinoire. De temps en temps, après la première session, on pouvait y trouver une fille du coin à la recherche d'une voiture pour la ramener.

C'était un vendredi soir clair et chaud et il y avait foule. Les rabats de la tente étaient roulés jusqu'au plafond sur toute sa longueur. Les filles les plus audacieuses portaient de petites jupes plissées qui rebondissaient. Les garçons patinaient vite, ils y mettaient du cœur, comme s'ils avaient d'importants télégrammes à livrer. À l'extérieur, des jeunes étudiants du lycée agricole faisaient les marioles à côté du camion de la caisse, jouant avec un ballon, empêchant l'un d'entre eux de l'attraper. Le garçon dont ils se moquaient était en train de fumer une cigarette. Il portait lui aussi sa veste du lycée agricole. « Tiens, tu le veux ? Je te le file cette fois, juré. » Le pauvre garçon ne retenait jamais la leçon. Ils l'empêchaient d'attraper le ballon parce qu'il ressemblait à un babouin. Norwood déambula jusqu'à l'arrière de la tente et s'adossa à un grand pacanier pour regarder les patineurs à travers le grillage. Il était là depuis une minute ou deux, à regarder les filles, quand il entendit quelqu'un casser des noix de l'autre côté de l'arbre.

Il pencha la tête pour jeter un œil. Un homme à la fois très fin et très large se tenait là, brisant d'une main experte des noix de pécan dont il retirait les cerneaux intacts. Il était aussi large et fin qu'un bonhomme de pain d'épices. Il portait une veste lisse et brune à couture sellier, un pantalon bleu à plis larges et un chapeau de cow-boy gris perle. Il sourit, essuya les poussières de coques de ses énormes mains plates et en tendit une à Norwood.

« Eh bien bonsoir, Norwood. »

Norwood lui serra la main. « Je pensais bien avoir entendu quelqu'un là derrière. Vous me connaissez ?

– Ça, j'ai bien l'impression de te connaître. Je vois ton nom cousu là sur ta poche. Bien sûr, tu pourrais aussi être en train de porter la chemise de quelqu'un d'autre. Dans ce cas-là, ton nom pourrait tout aussi bien être Earl ou Dub pour ce que j'en sais.

– Nan, c'est bien ma chemise.

– Moi c'est Fring. Norwood, je suis ravi de te connaître. Dismoi, est-ce que tout le monde va bien chez toi ?

– On n'a pas à se plaindre. Et chez vous ?

– Ils sont tous morts sauf moi et mon frère Tilmon. Moi ça va et lui très bien aussi, étant donné son âge. Tiens, ramène ça chez toi et lis-le quand tu auras une minute. » Il tendit à Norwood une brochure qui disait : *Une police d'assurance hospitalisation non remboursable garantie renouvelable à vie, signée de l'une des compagnies d'assurances les plus fiables du Mid-South. Pas de limite d'âge. En cas de maladie ou d'accident, jusqu'à 5 000\$ REMBOURSÉS. En cas d'opération, jusqu'à 400\$ REMBOURSÉS. Prestations pharmaceutiques REMBOURSÉES. Prestations d'infirmières* *à domicile REMBOURSÉES. Frais de poumons d'acier REM-BOURSÉS. REMBOURSÉ AUSSI...* « Inutile de lire ça maintenant. Emporte-le chez toi et regarde-le plus tard. Compare-le à ta police d'assurance actuelle, et au vu de tes besoins réels. Parles-en chez toi. Cette petite police se vend toute seule. »

Norwood la mit dans sa poche. « Représentant en assurance.

– Enfin, entre autres choses, oui. Mon frère Tilmon et moi-même avons de nombreux projets commerciaux. Je suis également dans les mobile homes et dans les distributeurs à pièces. J'ai une licence de détective privé qui couvre trois États. Nous avons aussi une agence de recouvrement de dettes à Texarkana. Je suis certain que tu as entendu parler de nos stands de voitures d'occasion là-bas. Grady Fring ?

– Vous êtes pas Grady Fring le Roi du Crédit ?

– En personne.

– Aucune offre raisonnable ne sera refusée.

– Lui-même.

– Impossible de convaincre Grady que vous avez un mauvais crédit.

– Tout juste. »

Norwood rit. « Ça, c'est pas banal. J'ai vu vos panneaux et entendu vos trucs tourner à la radio. "Grady Fring est vraiment dingue" et tout ça.

– Je serais drôlement déçu si tu ne les avais pas entendus, dit Grady. Si je te disais à combien s'élevait notre budget publicité l'année dernière, tu ne me croirais pas. C'est là où il faut mettre son blé si tu veux écouler de la marchandise. Tu sais en quoi je crois ?

– En quoi ?

– Au volume.

– Au quoi ?

– Au volume. Le volume. Je me cogne bien de combien j'arrive à me faire dessus – six dollars, vingt-cinq cents, dix cents – tant que j'en écoule. Vendre ! Écouler ! Refiler ! Il faut juste s'en débarrasser pour pouvoir récupérer quelque chose d'autre à la place, et puis le vendre, ça aussi. Oui m'sieur, moi, je crois aux volumes. Pourquoi t'es pas là-dedans à patiner avec toutes ces jolies filles ?

— Je suis pas très doué en patin.

— Tu viens ici souvent ?

— Parfois. De temps à autre.

— J'parie que tu les connais toutes, ces filles.

— J'en connais quelques-unes.

— C'est ma première visite sur cette piste de patins à roulettes, dit Grady. Je voyage beaucoup de nuit, tu sais. Je suis également en lien avec une agence artistique à la Nouvelle-Orléans et cette partie de mon travail m'amène à visiter de nombreux… établissements routiers. Notre agence s'occupe de trouver — et nous avons tous les permis pour ça — de jolies jeunes filles à travers tout le Mid-South. Des jeunes filles qui cherchent à faire carrière dans le monde du spectacle. Des jeunes filles qui veulent quitter le foyer familial. Tu ne l'as peut-être pas remarqué mais nous avons dans nos contrées certaines des jeunes filles les plus adorables de tout le pays.

— Pour sûr.

— Elles n'ont rien à envier aux filles d'ailleurs.

— La petite Cresswell est bonne patineuse, dit Norwood. Ce doit être la meilleure du lot. Celle-là, avec des lumières sur ses patins.

— Oui, je l'avais déjà dans ma ligne de mire. Elle est pas piquée des hannetons. Et délicieuse aussi. Tu connais ses parents ? Qu'est-ce qu'il fait son père ?

— Je sais pas ce qu'il fait. Sa mère, elle travaille au lavomatique.

— Elle a quel âge ?

— Je dirais cinquante-six.

— Non, la fille je veux dire.

— Ah. Je dirais dix-sept ans. Je crois qu'elle finit le lycée cette année.

— Je préfère ne pas trop y toucher si elles ont moins de dix-neuf ou vingt ans. Tu comprendras, Norwood, que je ne cherche pas nécessairement des talents de patineuse. Et toi alors, t'habites en ville ?

– Ouais. J'habite par là, juste de l'autre côté de cette station Nipper.

– Ce vieux Nipper ! Je regardais ton uniforme quand t'es arrivé. C'est un vieil ami, tu sais, Nipper. J'enquêtais pour lui à Houston. Je faisais aussi un peu de droit à l'époque. Quel homme ! Du fric ? Norwood, il est plus riche que ce bon vieux Crésus. Tu l'as déjà rencontré ?

– Jamais non. J'ai déjà vu son avion. Il passait parfois au-dessus de la ville pour larguer des exemplaires de la Constitution.

– Eh bien, c'est un sacré bonhomme. J'ai fait partie de sa commission pour l'éducation pendant trois ans et j'ai été juré dans ses fameux concours d'écriture Nipper pour les collèges. Un des jurés. Peut-être que tu avais envoyé un texte d'ailleurs ?

– Quoi ?

– Le Concours d'Écriture Nipper. Pour les collégiens.

– J'ai jamais entendu parler de ça.

– T'aurais dû essayer, Norwood. Tout le monde gagnait au moins un petit quelque chose. Et aux gagnants on offrait de sacrées bourses d'études. Le thème c'était *Le communisme dans le Conseil œcuménique national des églises.* Ils n'y sont pas allés par quatre chemins. Ils ont écrit ce qu'ils avaient sur le cœur. J'étais fier d'en faire partie.

– Vous travaillez toujours pour Nipper ?

– Non, plus maintenant. On s'est brouillés, j'en ai bien peur. Je lui ai échangé un taureau certifié contre des propriétés locatives et ça l'a rendu furieux. J'ai quitté Houston par la suite.

– Vous l'avez battu en affaires ?

– Oui, je dois bien l'avouer. Je l'ai pris comme Stonewall Jackson prit Nathaniel P. Banks dans la vallée de Shenandoah. Triomphalement, c'est ce que j'entends par là.

– Il n'a pas aimé ça.

– Il n'y était pas habitué. »

Norwood regarda sa montre. « Bon, il va me falloir rentrer à la maison et prendre un bain. Mon pouce me lance. »

Grady lui toucha le bras. « Attends une minute. J'aimerais te parler de quelque chose. Je pourrais bien réussir à te dégoter quelque chose. T'as un moment ?

– Ouais, pourquoi pas.

– Je vais te dire ce qu'on pourrait faire. On pourrait aller à ma voiture, boire un verre et en discuter là-bas.

– Très bien. »

C'était une grosse Buick Invicta neuve avec un intérieur en cuir rouge. Grady tira une bouteille de Old Forester de sous le siège. Il avait de la glace pilée dans un carton de milk-shake. Norwood tint les gobelets en carton et Grady versa.

« C'est une chouette voiture, dit Norwood.

– Oui, les affaires marchent, dit Grady. Combien de tubes dirais-tu qu'il y a dans cette radio ?

– J'en sais rien. Elle a l'air drôlement bien.

– Vingt-quatre. Il n'y en a pas deux comme ça dans toute cette partie du pays. Écoute cette tonalité. On dirait de la FM. »

Norwood écouta. « La tonalité est vraiment bonne.

– Qu'est-ce qu'il t'est arrivé au pouce ?

– Rien. Je l'ai écrasé.

– Tu ferais bien de mettre quelque chose dessus en rentrant. »

– C'est déjà fait.

– Un peu de pommade Unguentine ferait des merveilles sur une blessure comme ça.

– J'ai déjà mis de la mousse à raser.

– L'Unguentine c'est bien mieux. Il y a là-dedans des ingrédients à haut pouvoir cicatrisant qu'on ne trouve pas dans la mousse à raser. Ça agit sur la douleur.

– C'est ça que vous vouliez me dire ?

– Non, dit Grady. » Il retira son chapeau, s'assit en travers de la banquette, la position d'un homme prêt à en venir au fait. « Non, c'est autre chose. T'es un gars costaud, Norwood. Et je crois avoir le poste pour toi. Voilà le topo : on rachète des dettes à des boutiques et des stations-service pour douze cents le dollar. Puis on va collecter ce qu'on peut. Un agent de première main, rentre-dedans et agressif, peut récupérer jusqu'à quarante pourcents de ce qui est sur le contrat. Il peut leur faire cracher à ces salauds de dépensiers. Et tous ceux qui ont suivi mon entraînement peuvent récupérer, facile, vingt-cinq pourcents des sommes. Je t'entraînerai, je t'achèterai un costume et des belles pompes de chez Florsheim, et je te filerai une de mes voitures de démonstration dernier modèle et on fait cinquante-cinquante sur tout ce que tu te fais au-delà de ma mise de fonds. Tout ce qui est au-dessus de mes douze pourcents d'investissement initial. Qu'est-ce que t'en dis ?

– Je pense pas être très doué là-dedans.

– Ça t'intéresse pas de te faire de l'argent.

– Nan, j'ai pas dit ça. J'ai dit que je pensais pas être très doué là-dedans. J'ai déjà moi-même une dette que je peux pas recouvrir. Et puis il y a aussi que j'ai pas fait d'études. Pas pour ce genre de boulots. Ceux où il faut porter un costume.

– Le niveau d'études requis est minimal. Laisse-moi décider si ça fonctionne ou pas.

– À mon avis, nan, je crois pas.

– Mmmh, dit Grady, et il se resservit du Forester. Dis voir, qu'est-ce que tu dirais d'un voyage en Californie ?

– J'y suis déjà allé en Californie.

– Ça veut pas dire que tu peux pas y retourner.

– C'est trop loin.

– Et un voyage à Chicago ?... New York ?... Atlanta ?

– New York ?

– Exact, New York City. Un voyage incroyable, tous frais payés. Avec en plus – écoute donc ça – cinquante dollars en petite monnaie, rien que pour toi, cadeau.

– C'est pas une sorte de concours ?

– Non non, c'est une offre de travail tout ce qu'il y a de plus honnête. T'es bon conducteur ?

– Ouais.

– Ça suffira. Pour t'expliquer, Tilmon et moi faisons convoyer certaines de nos voitures en surplus, nos meilleures, vers d'autres coins du pays où on pourra en tirer un meilleur prix. C'est les conducteurs qui s'amusent le plus. À foncer à travers le pays au volant d'un modèle dernier cri, à profiter du paysage.

– J'en emmènerais bien une à New York.

– Vendu.

– Combien de temps ça prendrait ?

– Tu serais de retour dans une semaine après un merveilleux voyage tous frais payés. Tous tes amis seront jaloux...

– Comment je reviendrais ?

– En conduisant. Ça fait partie de l'affaire. T'en emmènes une et t'en ramènes une.

– Ça je comprends pas.

– Qu'est-ce que tu ne comprends pas ?

– Eh bien, si j'en emmène une et que j'en ramène une autre, vous êtes pas plus avancé. Je vois pas vraiment en quoi ça vous aiderait.

– C'est parce que tu ne comprends pas comment fonctionne le marché. Certaines voitures valent plus cher là-bas et d'autres valent plus cher ici, pour des raisons de fret, entre autres. Prends une Mercedes par exemple, elle te coûtera facilement deux cents dollars de plus ici. Ça c'est à cause du marché. Tu vas pas rentrer à vide, t'inquiète pas pour ça.

– J'espère que c'est pas des voitures volées. »

Grady regarda Norwood pendant un long moment. « Je n'arrive pas à voir si tu dis ça sérieusement ou pas. Nous sommes des hommes d'affaires respectables, Norwood. Nous opérons au vu et au su de tout le monde. Avec la confiance de notre communauté. Nous ne pouvons certainement pas nous permettre de trahir cette confiance en nous amusant avec des voitures volées. Je pense que tu as parlé avant de réfléchir. Non, nous accueillons avec plaisir toute inspection légale et approfondie de nos affaires.

– Je veux pas m'attirer d'ennuis.

– Bien entendu. Et une façon de les éviter serait de ne plus répéter ta remarque douteuse à propos de voitures volées qui pourrait te valoir des poursuites.

– C'est vrai que j'aurais bien besoin de voir quelqu'un à New York. »

Grady enfila ses lunettes et consulta un calendrier de poche à la lumière de sa radio vingt-quatre tubes. « Mmmh. Qu'est-ce que tu penses d'un départ dimanche prochain au matin ?

– Dis donc c'est rapide. »

Grady haussa les épaules.

« J'en sais rien, dit Norwood. Je vais devoir y réfléchir. Je vais devoir en parler à ma sœur aussi.

– Absolument, parles-en à ta sœur. Discutes-en avec elle. Elle s'appelle comment ?

– Vernell.

– Quel nom charmant », dit Grady. Il tendit la main vers la banquette arrière, fouilla dans une grosse boîte en carton et en sortit un ensemble avec un peigne, une brosse à cheveux en caoutchouc et une petite bouteille de parfum ornée d'un nœud bleu. « Donne ça à Vernell, avec toute mon amitié. » Il fit un signe de tête vers la banquette arrière. « Il nous restait pas mal de lots pour les mentions honorables du dernier concours Nipper.

– C'est vraiment chouette de votre part. »

Grady balaya sa remarque d'un geste de la main. « C'est rien du tout. Alors. Mon numéro de téléphone est sur cette carte. N'hésite pas à m'appeler quand tu veux, en PCV. Une réponse d'ici jeudi midi serait parfaite. »

Dans le carton de milk-shake, la glace avait déjà ramolli, mais ça ne les empêcha pas de se servir un dernier verre rapide. Lorsque Norwood ouvrit la portière pour sortir, Grady eut tout à coup une idée. « Attends une seconde, dit-il. Fais-moi voir ta montre. »

Norwood la lui montra. Sous la lumière de la radio, Grady l'étudia gravement à travers la partie inférieure de ses lunettes. Il tapota le quartz d'un ongle épais, jaune et long. « Sans vouloir t'offenser, c'est de la camelote. » Puis il fit glisser sa propre montre de son poignet. Une trotteuse plate et brillante avec un cadran noir et des points dorés à la place des chiffres, et la donna à Norwood. « Je ne peux pas te laisser rentrer chez toi ce soir sans que tu aies une belle tocante au poignet. Tu peux ranger l'autre dans un tiroir. Ou la vendre à un négro si t'y arrives… Non, ne dis rien. Je veux que tu la gardes. Je les ai au prix d'usine.

– C'est vraiment chouette de votre part, monsieur Fring.

– Monsieur Fring mon œil. Appelle-moi Grady. »

Norwood rentra chez lui et réfléchit à la meilleure manière d'annoncer à Clyde qu'il comptait quitter la station. Clyde allait lui poser des centaines de questions. Vernell et Bill Bird aussi allaient lui poser problème. Ils se déchireraient là-dessus pendant des jours, comme deux chiots sur un os en caoutchouc. Norwood se fit couler un long bain de réflexion. Il remit de la mousse à raser sur son pouce. En se coiffant il prit la pose, en biais devant son miroir, et se lança un sourire nonchalant, comme une de ces stars de musique country & western au sourire narquois qu'on voit poser dans l'angle au bas des couvertures de papier glacé des magazines.

Il passa un moment à écouter quelques disques dans sa chambre sur le porche et s'imagina fumant en coulisses avec Lefty Frizzell : « *Hé Norwood, t'as du feu ?* » Son pantalon Nipper vert à rayures pendait sur le dossier d'une chaise, le prospectus d'assurance de Grady pointant de la poche revolver. Norwood sortit de son lit en caleçon et emporta le prospectus dans la chambre à l'intérieur de la maison. Il alluma la lumière, faisant bondir un Bill Bird endormi.

« Dégage de là, dit Bill Bird.

– Qu'est-ce qu'il se passe, frangin ? Qu'est-ce que tu veux ?

– J'ai trouvé le message qu'il y avait sur la saucisse, Bill. T'avais pas bien regardé.

– Éteins cette lumière et sors d'ici.

– Qu'est-ce que ça dit, frangin ?

– Ça dit : "*Cher Bill Bird, si tu tiens à tes deux oreilles tu arrêteras de parler de choses dont tu ne sais rien. Sincèrement, Le commandant du corps des Marines.*"

– Très drôle. Maintenant dehors. Je ne le répéterai pas.

– On essaye de dormir, frangin. Bill a besoin de son repos. »

Vernell et Bill Bird n'approuvèrent pas l'idée du voyage à New York. « Tu connais personne, à New York », dit Vernell. Norwood faisait briller sa paire de bottes à trente-huit dollars. Des bottes de trente-cinq centimètres, noir charbon, avec cambrions en acier et talons bas. Des papillons rouges étaient incrustés sur le cou-de-pied. Il donnait un éclat miroir au bout de ses bottes avec du liquide à briquet et un bas en nylon.

« Impossible de le raisonner, Vernell, dit Bill Bird. C'est comme s'adresser à un enfant. Je pense que notre position sur le sujet est claire. Même pour lui. Du moins je l'espère. Et j'espère qu'il n'a pas prévu de nous envoyer de télégramme pour nous demander de l'argent une fois coincé là-bas. »

Norwood l'ignora. « Vernell, conduis pas trop ma voiture pendant que je suis pas là. Et si tu dois la prendre, vas-y mollo. J'ai un culbuteur en sale état qui risque de lâcher à tout moment. J'ai bien l'impression qu'il m'a déjà bousillé le vilebrequin. Il faudra que je démonte ce bouilleur à mon retour... et pas question qu'il mette ses mains sur le volant. »

Vernell trouva cela injuste. « Bill sait très bien conduire.

– Nan, il sait pas.

– Mais si. Seulement il est habitué à conduire des automatiques.

– Ouais ouais.

– Bill sait aussi bien conduire que moi.

– Sauf que tu sais pas conduire non plus. La seule différence c'est que t'es ma sœur. Sinon je ferais aussi bien de refiler ma voiture à un lapin.

– Il te faudrait des extensions spéciales pour les pédales, dit Bill Bird.

– Je suis sérieux, Vernell, dit Norwood. Y'a pas intérêt à ce qu'à mon retour j'entende qu'on a vu Bill Bird se balader en ville au volant de cette voiture. Laisse-le un peu marcher. Ça lui fera pas de mal. »

Tôt le dimanche matin, sous la pluie, Norwood partit pour Texarkana dans le camion de butane d'un gars qui avait rendez-vous là-bas pour la messe. Il portait son chapeau noir avec le bord remonté pour éviter les prises d'air, et ses bottes. Une jambe de pantalon rentrée et l'autre sortie, comme le dictait la mode. Ses bottes étaient superbes. Il portait aussi ses lunettes de soleil, et sa lourde boucle de ceinture western argentée ornée d'une scène de marquage au fer en relief.

Hormis ces quelques chics accessoires, il n'avait pas sur lui ses habits du dimanche. Il avait un boulot à faire et une longue route devant lui. Son beau pantalon et sa chemise cintrée, celle avec des flèches courbées sur les poches et des boutons-pression nacrés, étaient rangés dans un sac de voyage en toile. Pour le voyage il avait enfilé un uniforme Nipper amidonné et fraîchement repassé. Il avait décidé à la dernière minute de prendre sa guitare d'Allemagne de l'Est avec lui. Il la rangeait dans un étui mou en plastique transparent.

Comme convenu, le Roi du Crédit attendait dans sa Buick devant la poste de Texarkana. Il était en grande conversation avec un homme appuyé à sa fenêtre. L'homme tenait un pot en carton avec imprimé dessus, CHEZ GRADY : FERME À APPÂT. Le type à la portière se redressa pour partir et Grady lui serra la main par la fenêtre. « Y'a ce qu'il faut en semoule de maïs là-dedans. Ça mange pas grand-chose. Ce que vous pouvez faire en revanche c'est les arroser avec un peu d'eau tous les deux ou trois jours. » Quand l'homme fut parti, Norwood demanda : « C'était qui ?

– Je n'en sais rien, dit Grady. Un type qui passait en ville. Il voulait savoir s'il y avait des débouchés pour un taxidermiste dans le coin. Et moi je discute avec tout le monde. Discute même avec un nègre et tu pourrais apprendre quelque chose. Je lui ai vendu quatre cents vers. » Il regarda sa montre. « Pile à l'heure, Norwood. J'aime les gens qui tiennent parole.

– J'ai une bonne montre.

– Ça pour sûr... Viens là, laisse-moi te regarder. Pas mal. On dirait le Durango Kid, aussi connu sous le nom de Charles Starrett. La guitare c'est pour quoi ?

– C'est à moi, j'ai pensé, pourquoi pas la prendre avec moi.

– Tu ne m'avais pas dit que t'étais musicien.

– Je joue un peu comme ça, c'est tout.

– T'aurais dû m'en parler. J'ai quelques contacts dans le milieu de la musique.

– Ah oui ?

– Eh bien, je connais des gars. J'ai moi-même quelques appareils à musique du côté de Bossier City.

– Vous connaissez du monde au Louisiana Hayride ?

– Je connais tout le monde au Louisiana Hayride.

– C'est là où je voudrais tenter ma chance.

– J'imagine que je pourrais décrocher mon téléphone et te filer un coup de pouce. On en parlera une prochaine fois. Mais pour l'instant occupons-nous des affaires pressantes. Je sais comme tu dois être impatient de prendre la route. »

Grady déplia un plan de New York et le posa sur le volant. Le point de livraison, un garage à Brooklyn, était marqué d'un cercle. Grady lui expliqua la route. Elle était assez compliquée. Il lui réexpliqua, et puis lui expliqua à nouveau. Norwood mentit et dit qu'il pensait avoir compris. Grady lui donna le plan et une épaisse enveloppe en kraft contenant papiers, carte grise, deux jeux de clés, une carte de crédit Gulf au nom de Tilmon Fring et vingt-cinq dollars pour les frais.

Norwood dit : « J'imagine qu'on m'en donnera un peu plus à New York.

– Plus de quoi ?

– Bah, je sais pas. Plus d'argent.

– La carte de crédit est pas à l'intérieur ?

– Si, y'a la carte de crédit. Je me demandais juste si c'était assez d'argent pour le voyage. » Il montra les cinq billets de cinq.

Grady était décontenancé et meurtri. « C'est pourtant ce qu'on donne d'habitude. Je pensais que ça suffirait amplement. On ne me l'avait jamais fait remarquer. C'est assez embarrassant. Tu as la carte de crédit. Pour un voyage de six jours tout au plus, ça fait plus de quatre dollars par jour pour tes repas et les petits imprévus sur la route. Avec des nuits chaudes comme ça tu peux t'arrêter sur le bord de la route et piquer un roupillon dans la voiture si t'es fatigué. La plupart des conducteurs font le trajet d'une traite. Arnold a un matelas confortable dans son garage…

– Quand est-ce que j'aurais les cinquante dollars ?

– À ton retour. Paiement à la livraison.

– Je pourrais pas les avoir maintenant ?

– Mais non, allons. Tu n'as même pas encore été avalisé, Norwood.

– Ça veut dire quoi ?

– Ça veut dire que tu auras l'argent à ton retour.

– J'en voudrais bien une partie maintenant. »

Grady montra des signes d'angoisse. Il attrapa dans sa poche une allumette recouverte d'un chapelet de petites peluches de tissu bleu, et se l'enfonça franchement dans une oreille. Quand il eut fini il examina l'allumette, baissa la vitre automatique de quelques centimètres et la jeta par la fenêtre. Il sortit son portefeuille de la poche intérieure de son manteau. « Voilà ce qu'on va faire, Norwood. J'ai encore jamais fait ça. Je vais te donner un autre billet de dix pour couvrir tes frais. Ça on n'en parle plus. Ça rentre dans les frais généraux. Ensuite… je vais te donner une avance de vingt-cinq dollars qui sera décomptée de tes cinquante. Ce que je vais faire c'est que je vais garder les comptes ici – sur moi – et comme ça, tu en auras autant à ton retour. Tu pourras acheter tout ce dont tu as besoin. Embarque-toi pour New York avec trop d'argent en poche et tu vas te retrouver à dépenser trop d'argent. J'ai vu ça arriver tellement de fois… tu sais, un tas de gens seraient prêts à nous payer pour une occasion comme celle-là. »

Norwood compta l'argent, le plia en un carré solide et l'enfonça dans sa poche de montre.

« Entendu ? dit Grady.

– Entendu.

– Pas besoin de signer un reçu pour l'avance. Et pas besoin de te tracasser à tenir les comptes précis de tes dépenses. Tout cela est informel. Nous aimons laisser les mains libres à nos agents. Tant que ça reste dans le cadre de bonnes pratiques commerciales. » Il démarra la voiture et se tourna vers Norwood avec un sourire aux lèvres. « J'ai une surprise pour toi. »

Ils traversèrent la partie de la ville située en Arkansas sur près d'un kilomètre et s'arrêtèrent sur une allée remplie de flaques d'eau derrière une fabrique de glace. Il y avait en réalité deux surprises. La première étant qu'il n'y avait pas une mais deux voitures à livrer. Elles étaient là, pare-chocs contre pare-chocs, une grosse Oldsmobile 98 devant et une Pontiac Catalina derrière, brillantes et fleurant bon la peinture fraîche. « On leur passe toujours une couche de Duco, dit Grady. Ça coûte pas grand-chose et ça peut faire grimper sa valeur de deux cents dollars. L'Oldsmobile est comme neuve. À peine vingt mille kilomètres. Jamais eu besoin de faire l'appoint d'huile. Et c'est une voiture propre. Bien entretenue. Ce sera un plaisir de la conduire. Avec cette barre de remorquage amortissante flambant neuve, tu ne te rendras même pas compte que tu tires quoi que ce soit. Elle a un effet breveté. On vient de commencer à les utiliser et elles sont pas piquées des hannetons. »

Un vieil homme en treillis et veste de costume bleue s'approcha de la porte ouverte de Grady, une main dans la poche, il courbait les épaules contre la bruine. Il avait glissé un paquet de papier à cigarettes RJR orange dans la bande de son chapeau pour le garder au sec. Il était en train de prendre l'eau.

« Voici mon frère Tilmon », dit Grady. Puis il leva la voix et dit : « Tilmon, voici Norwood. Notre nouveau chauffeur. Et un bon. Il est pas piqué des hannetons. C'est le genre de type qui a fait le tour du monde à dos de mule.* »

Tilmon ricana et serra la main de Norwood. Le dessus de sa manche droite avait une croûte brillante là où il s'était essuyé le nez. Il sortit son autre main de sa poche et tendit à Norwood une brochure qui disait, *Besoin de $$$$$... RAPIDEMENT ? Prenez un crédit à taux fixe de chez Grady... PAR COURRIER !* En dessous, il y avait une photo de Grady tenant une poignée de billets. *Oui, Grady est prêt à vous prêter jusqu'à 950$... SANS AVOIR BESOIN DE SORTIR DE CHEZ VOUS !*

« Ça va ? dit Tilmon.

– Très bien, dit Norwood.

– Grady c'est une vraie vedette, pas vrai ?

– Pour sûr.

– Tu l'aimes bien ?

– Un peu que je l'aime bien.

– Alors tu fais bien tout comme il dit.

– Entendu.

– Juste en le regardant, difficile d'imaginer que Tilmon est en fait un homme d'affaires futé, n'est-ce pas ? » dit Grady.

Norwood l'examina à nouveau. « J'aurais eu du mal à l'imaginer, ouais.

– Le volume ça le connaît. Pas vrai, Tilmon ? *Je dis que le volume ça te connaît.*

– Hi hi hi », fit Tilmon, avant de laisser tomber sa langue, comme s'il attendait une pièce.

La deuxième surprise était Mlle Phillips. Elle était assise sur sa valise – un joli modèle pour l'avion – sous la pluie, un journal sur la tête. Elle mangeait des pêches en conserve avec une petite cuillère à glace en bois. C'était une mulâtre grande et longiligne. Elle

*I'm the man that rode the mule 'round the world *: titre d'une chanson country de Charlie Poole (1925).

portait une robe de soirée à bretelles, verte et scintillante, et des chaussures à bouts ouverts sur le point d'exploser sous la pression de ses doigts de pied. Elle avait un regard noir. Un air redoutable. « Tu t'es tiré avec les clés et en laissant ces saletés de portes fermées, Fring, dit-elle, un gémissement perçant dans la voix.

– De toute évidence. Désolé, Yvonne.

– J'ai pas dans l'idée de payer moi-même le nettoyage de cette robe. Regarde-moi ça.

– On s'en chargera. Tout se passera à merveille. Calme-toi un peu.

– Ne me dis pas quoi faire.

– Norwood, dit Grady, voici la fameuse attraction bonus. Je voudrais te présenter Mlle Yvonne Phillips. Elle nous vient de Belzoni, Mississippi, après un passage par la Nouvelle-Orléans, la *Crescent City*. Elle, elle est pas piquée des hannetons. Notre agence artistique là-bas l'envoie à New York. Comme c'était plus pratique, j'ai convenu qu'elle fasse le voyage avec toi. Je me suis dit que tu apprécierais la compagnie.

– Ouais, d'accord. Pas de soucis. » Il retira son chapeau et la salua.

Mlle Phillips lança un regard furieux à Grady. « Tu ne penses pas que je vais faire la route jusqu'à New York avec ce campagnard de mes deux, j'espère ? »

Grady rit. « Elle va se calmer, Norwood. C'est vraiment après moi qu'elle en a, pas après toi. Elle pensait qu'elle allait faire le voyage en avion de ligne. Tu peux donc imaginer sa déception. J'ai pensé que ça ne te poserait aucun problème qu'elle t'accompagne.

– Nan, pas de soucis. C'est si elle veut. Mais je crois pas qu'elle veuille.

– Elle s'en remettra.

– J'aimerais vraiment que Sammy Ortega soit là, dit Mlle Phillips. Il te péterait le bras.

– J'aimerais bien voir ça, dit Norwood.

– Je parlais à Fring, pas à toi, dit-elle. Mais il te réglerait aussi ton compte si l'envie lui en prenait, avec ta grande bouche de cul-terreux. Il te ferait voir des étincelles à coups de pompe dans le cul.

– J'aimerais bien voir ça.

– Tu l'as déjà dit. Arrête un peu de répéter la même phrase en boucle. T'as donc aucune jugeote ?

– T'as dit que c'était à lui que tu parlais la première fois.

– Péquenaud.

– Ça suffit, dit Grady. Je ne veux plus rien entendre, ma petite. Ramasse ton barda et va nous attendre à la voiture. Je dois avoir un mot avec mon conducteur.

– Quelqu'un finira bien par te tomber dessus un jour, Fring.

– J'ai dit chut. Alors ramasse tes affaires et circule. »

Elle s'éloigna d'une manière théâtrale en criant sur Tilmon, et réussit à lui faire porter ses affaires.

Grady remonta son pantalon d'un geste des poignets et se frotta les mains. « Allez mon pote, t'as le plein et tout est prêt pour le départ. Oublie pas, George Washington Bridge, West Side Drive, Brooklyn-Battery Tunnel, Belt Parkway, sortie douze, Par-sons Street, garage d'Arnold. Suis les instructions et regarde bien les panneaux et tu peux pas le rater. Maintenant écoute-moi bien. Tu n'as l'autorisation de t'adresser à personne d'autre qu'Arnold. Alors s'il est pas là, tu l'attends. Le garage est ouvert vingt-quatre heures sur vingt-quatre et il attend ton arrivée lundi soir tard ou mardi matin tôt. C'est lui qui prendra tout en charge – y compris Mlle Phillips. Elle a de l'argent pour couvrir ses frais et payera elle-même ses repas. Ne la laisse pas te jouer des tours. Bien entendu libre à toi de t'entendre avec elle sur un autre arrange-ment, ça, c'est pas mes affaires. Je laisse ça à votre discrétion. Quoi qu'il arrive, souviens-toi qu'on compte sur toi pour arriver mardi matin au plus tard. Pigé ?

– Je crois bien.

– Nickel. Fais bien attention à la route alors. Garde un œil sur les autres conducteurs. Respecte bien les limites de vitesse. Te fais pas arrêter dans je ne sais quel petit bled. Les lois sont faites pour nous protéger. Une voiture est une arme. Mise entre les mauvaises mains ce n'est rien de moins qu'un instrument de mort. »

Le tandem de voitures s'élança sur les flaques de l'allée, tourna à l'angle de la fabrique de glace et disparut. Une conserve de pêches vide roula avec fracas dans la rue. Grady et Tilmon l'écoutèrent jusqu'à ce qu'elle s'immobilise.

Grady dit : « Combien ils t'ont tiré pour ces pêches ?

– Trente-neuf cents, dit Tilmon.

– Ils t'ont vu venir de loin, pas vrai ? C'est même pas des modèles 4/4 standard.

– Trente-neuf cents c'est ce qu'elles coûtent.

– Je sais très bien ce qu'ils font, ils facturent plus cher le dimanche. Ils te font grimper les prix en douce. C'est ce qu'ils font tous. Je ne m'attends pas à croiser beaucoup d'épiciers au royaume des cieux, Tilmon. »

Norwood et Mlle Phillips s'élançaient vers le nord sur l'U.S. 67. Il lui raconta quinze ou vingt blagues, lui montra du doigt des panneaux amusants et commenta les divers projets de construction en bord de route mais elle n'en avait rien à cirer. Sauf à lui dire de ralentir, elle refusait absolument de parler. Elle restait assise, rigide et maussade, à l'autre bout de la banquette, contre la portière opposée. À plusieurs reprises, elle fit même semblant de dormir. Elle essayait de rester parfaitement immobile mais finissait toujours, après quelques minutes, par se gratter, ou changer de position sur son siège, faisant couiner sa robe brillante. Et à chaque fois Norwood se tournait vers elle avec un sourire.

« T'as pas besoin de regarder par ici à chaque fois que je bouge, dit-elle. Garde les yeux sur la route. » Quand elle ouvrit la petite vitre de custode, elle le fit d'un geste sec, ramenant aussitôt ses mains en arrière comme si elle maniait le lasso dans un rodéo, pour mieux empêcher Norwood de voir, de remarquer et d'admirer son geste. Et effectivement, il n'en aperçut que le dernier mouvement.

À Little Rock il demanda si elle voulait s'arrêter pour prendre un Coca ou pour aller au petit coin. « Je te dirais quand j'ai envie de m'arrêter, Poil de Carotte. » Et elle se remit en position assoupie.

« Je sais pas ce qui t'énerve comme ça, dit-il, mais on a encore un bout de chemin devant nous. On pourrait se faire un voyage du tonnerre si t'étais pas comme ça. J'aimerais qu'on soit bons amis, Laverne. »

Elle n'ouvrit pas les yeux. « Ouais, ça j'en doute pas. Je m'appelle pas Laverne, je m'appelle Hi-vau-ne. Mais toi, je ne veux pas que tu m'appelles du tout. »

Ils continuèrent leur route dans un silence hostile, traversant champs de riz et villages à un seul feu rouge, dans l'est de l'Arkansas. La pluie se calma un peu mais les camions continuaient à projeter une pâtée boueuse sur le pare-brise. Grady avait dit vrai sur sa barre de remorquage amortissante. C'était une petite merveille. Aucun cahot ni embardée dans les virages, même à pleine vitesse. Il avait aussi eu raison à propos de l'Oldsmobile. Elle était propre, rapide et puissante. Le verre teinté rendait l'intérieur douillet. Tout fonctionnait, la radio, l'horloge, même le lave-glace. Norwood aurait pu conduire cette Oldsmobile 98 pour l'éternité sans jamais s'arrêter.

Ils s'arrêtèrent à De Valls Bluff pour acheter des pêches. Mlle Phillips paya mais refusa de sortir de la voiture. Norwood prit un sandwich avec de la sauce barbecue et un soda au raisin. Ils mangèrent dans la voiture et continuèrent la route. Juste avant d'arriver à Brinkley, Norwood brisa le silence d'un cri et écrasa le frein. « Hé regarde ça ! » Mlle Phillips valdingua et ses genoux vinrent frapper contre le tableau de bord. Du jus de pêche gicla de la boîte et coula le long de ses jambes. « Qu'est-ce qu'il y a ? dit-elle. Où ça ?

– Tu l'as raté, dit Norwood. Y'avait un opossum qui rampait sous cette clôture. On aurait dit un énorme rat tout vieux et lent. »

Mlle Phillips se tamponna frénétiquement les jambes avec des poignées de Kleenex. « Petit enfoiré ! »

Norwood écrasa de nouveau le frein. « Tu veux faire demi-tour pour le voir ? »

Du jus jaillit à nouveau de la boîte, cette fois accompagné de deux ou trois quartiers dorés de Del Monte. Ils se collèrent à sa robe où ils formèrent des taches sombres. « Mais c'est quoi ton problème, mon gars ! cria-t-elle. Regarde un peu ce que t'as fait ! Tu crois que j'en ai quelque chose à fiche d'un opossum qui rampe sous une barrière !

– En fait il est déjà de l'autre côté de la barrière, dit Norwood. Il est plus loin dans le champ maintenant, il est en train de chercher quelque chose. Sûrement un truc à bouffer.

– T'es vraiment le plus grand connard de péquenaud de la terre !

– J'aime pas beaucoup ce genre de mots dans la bouche d'une fille, Laverne. T'aimerais bien que ta mère t'entende parler comme ça ? »

Mlle Phillips ne sut pas quoi dire et, contre toute attente, se mit à pleurer. Elle ne pleura pas fort mais longtemps, et de manière dramatique. Des reniflements et des petits bruits aigus pendant des kilomètres. Norwood envisagea sept ou huit choses à lui dire, puis y renonça. Ils étaient sur la voie d'accès du Memphis Bridge quand il revint à sa première idée.

« Je ne cherchais pas à te faire pleurer. Je suis désolé si j'ai parlé de ta mère.

– C'est pas pour ça que je pleure, beau gosse.

– À partir de maintenant je vais la fermer. Peu importe ce que je vois. »

Mlle Phillips s'essuya les yeux. Sa colère s'était un peu éteinte.

« Je voudrais tellement être à Calumet City, Illinois, j'ai aucune envie d'aller à New York. Sammy Ortega est barman à Calumet City et il pourrait me trouver un boulot là-bas, facile.

– C'est lui le type qui doit cogner tout le monde ?

– Sammy a peut-être l'air de rien tout habillé, dit-elle, mais il peut soulever quatre-vingt-dix kilos à bout de bras. Et il sait parler quatre langues.

– Lesquelles ?

– Quoi ?

– Quelles langues ?

– Anglais et espagnol et je sais pas lesquelles. Italien.

– C'est un quoi, un Mexicain ?

– Il est espagnol.

– Beaucoup de Mexicains s'appellent Jésus.

– Et en quoi c'est un problème ?

– En rien. Je me disais que c'était peut-être un truc que tu savais pas. »

Sur le pont la circulation était dense. Norwood était sur la voie intérieure rapide et tordait le cou en essayant de jeter un œil sur les trois grosses barges pétrolières qui descendaient le Mississippi en teuf-teufant loin en dessous. Un petit panneau en bois au milieu du pont indiquait SHELBY COUNTY, TENN.

« Tu viens de traverser la frontière du Tennessee, dit Mlle Phillips. Ils peuvent t'envoyer au pénitencier fédéral maintenant. » Norwood pila en faisant crisser les pneus. Mlle Phillips fut projetée en avant et sa tête vint frapper contre le pare-brise. « Tu peux pas t'arrêter ici, espèce de taré ! » Un break blanc vint s'écraser contre l'arrière de la Pontiac. Cette fois le buste de Mlle Phillips fut projeté en arrière, et son crâne cogna contre le montant de l'appuie-tête. Le conducteur du break avait sauté hors de son véhicule et courait vers Norwood en hurlant. Il avait la tête en sang. Norwood mit le pied au plancher et l'arrière de l'Oldsmobile s'écrasa au sol avant de bondir en avant dans un crissement de pneu. Norwood cria à l'homme avec la tête en sang : « On se voit en ville ! » Mlle Phillips pleurait à nouveau. Elle avait une grosse bosse gonflée sur le front. Elle se tenait la tête et se balançait d'avant en arrière sur la banquette. Norwood dit : « Faut que je m'tire d'ici. » Ils étaient à soixante kilomètres de Memphis, et traversaient Covington, Tennessee, quand il ouvrit à nouveau la bouche.

« Grady m'a raconté des craques.

– Tu t'attendais à quoi ? » dit Mlle Phillips, les yeux gonflés. Elle s'appuyait un Kleenex mouillé sur le front. « J'ai vraiment de la peine pour les types dans ton genre. T'es vraiment le plus péquenaud de tous les péquenauds.

– Je commence à en avoir jusque-là de tes histoires de péquenauds.

– Alors arrête de m'appeler Laverne.

– Je vois pas comment quelqu'un de Belzoni, Mississippi, peut dire que quelqu'un d'autre est un péquenaud. C'est grand comment Belzoni ?... Ça peut pas être bien grand. Sinon j'en aurais déjà entendu parler.

– Pour ta gouverne, j'ai passé beaucoup de temps à la Nouvelle-Orléans, monsieur Poil de Brique. Pour moi c'est de là que je viens.

– Sauf que tu viens pas vraiment de là-bas.

– Si tu vis assez longtemps quelque part t'as le droit de dire que c'est de là que tu viens.

– Nan, c'est pas vrai… même si tu vivais soixante-quinze ans à Hong Kong tu viendrais toujours de Belzoni.

– Arrête un peu d'essayer de me dire d'où je viens.

– Bien sûr que je vais te le dire. Quelqu'un doit bien te le rappeler.

– J'espère bien qu'un flic va t'arrêter. Ça me ferait rire. Ils te foutraient derrière des barreaux à Atlanta tellement vite que ça t'en filerait le tournis. Non mais regarde un peu, t'es mort de trouille sur ton siège. »

Elle n'avait pas complètement tort. C'était un sacré problème. Norwood y réfléchit un peu, puis se reposa un peu. C'était comme de regarder le soleil en face. Il attendait que quelque chose lui vienne, un plan. Sur quelle route était-il ? Où se trouvait la jauge d'essence sur ce tableau de bord démesuré d'avion de ligne ? Un demi-plein ? Où s'était-il arrêté ? Quelque part. Le type avait vérifié son nom sur la liste des cartes de crédit suspendues. Comme s'il avait une tête à se faire retirer sa carte de crédit. Après tout, il ne pouvait pas leur arriver grand-chose tant qu'ils continuaient à rouler comme ça. La nuit tomba et le problème perdit de son importance. L'esprit de Norwood bascula rapidement vers d'autres choses.

Ils ne firent qu'un seul arrêt dans le Kentucky, une pause-pêches dans un petit patelin juste sur l'autre rive de l'Ohio River, et, perdus dans leurs pensées respectives, ils ne s'adressèrent plus la parole avant d'arriver aux abords d'Evansville, Indiana. La radio ronronnait, négligée depuis des heures, et une émission religieuse était à l'antenne quand Mlle Phillips tendit la main et tourna le bouton.

Norwood dit : « Qu'est-ce que tu fais ?

– J'essaye de trouver WWL Radio à la Nouvelle-Orléans, dit-elle. Tu peux la capter de très loin au milieu de la nuit. Y'a l'émission Moonglow with Martin qui doit passer, j'ai envie d'écouter du bon jazz. »

Norwood repoussa sa main et remit le programme religieux.

« J'étais en train d'écouter.

– On a déjà entendu des pasteurs toute la nuit. » Elle changea de station à nouveau.

Norwood remit sa station. « Celui-là explique pourquoi ils ont pas de pianos à l'Église du Christ. J'ai envie de savoir. Ôte tes doigts de la radio.

– Mais moi j'ai pas envie de l'écouter.

– Et moi si.

– T'es pas le chef ici.

– Dans cette voiture, si. »

Mlle Phillips fulminait. Le pasteur continuait sans s'arrêter. Pour conclure il dit qu'il était prêt à payer dix mille dollars en liquide à quiconque pouvait lui montrer où, dans les Écritures, on autorisait les instruments de musique dans les églises.

« J'aimerais bien connaître un peu mieux la Bible », dit Norwood. Il rêvassa et pensa à l'offre du pasteur pendant un bout de temps. « Je me demande s'il paierait vraiment ?... Faut bien croire qu'il serait obligé vu qu'il l'a dit à l'antenne... en tout cas... moi je lui botterai le cul s'il le fait pas.

– J'en ai marre de ces bondieuseries, dit Mlle Phillips.

– Y'a le fils de Hank Snow qu'est pasteur, dit Norwood. Le révérend Jimmie Rodgers Snow. Il a son église tout là-bas dans un coin du Tennessee.

– Je veux écouter de la musique.

– T'appartiens à quelle Église, Laverne ?

– C'est pas tes oignons.

– À l'Église de Dieu ?

– Mon Église est sûrement au moins aussi bonne que la tienne. Peut-être même meilleure.

– Mmmh, possible que oui, possible que non. Moi j'appartiens à la Troisième Église baptiste de Ralph, Texas, et j'en suis fier.

– J'aurais cru que t'allais à la Quatrième Église baptiste.

– Y'en a pas à Ralph.

– C'est pour ça que t'y vas pas.

– Les baptistes missionnaires doivent tous aller à Hooks, eux. Je crois bien que les baptistes du Libre Choix se retrouvent simplement chez quelqu'un. Ils vont nous mettre l'air conditionné dans la nouvelle annexe s'ils la finissent un jour. Ils ont l'air conditionné à l'église pentecôtiste de Belzoni ?

– Mon église rentre dans la catégorie de ce que j'appelle mes oignons.

– Si j'étais évangéliste j'en aurais pas honte. J'en serais fier.

– Moi aussi. Si j'étais évangéliste.

– Seule la moitié de ceux qui vont à l'église sont sauvés.

– La voiture là derrière, elle a une radio ? »

Norwood jeta un œil dans le rétroviseur. « Elle a une antenne, ouais.

– Alors arrête-toi et laisse-moi monter dedans. J'ai envie d'écouter Moonglow with Martin.

– Tu vas pas voyager là-dedans. Ça va faire louche. Un flic pourrait nous arrêter.

– Je m'en fiche. Si tu t'arrêtes pas je vais me mettre à brailler au prochain flic que je vois. Au prochain n'importe qui que je vois.

– D'accord, change de station. Mets ce que tu veux.

– Je veux aller dans l'autre voiture. Je veux aller l'écouter sur l'autre radio maintenant. »

Norwood se rangea sur le côté et s'arrêta. Il sortit l'enveloppe en kraft de la boîte à gants et lui donna les clés de la Pontiac. « Tiens. Tout ce que tu vas réussir à faire c'est vider la batterie et peut-être même nous faire arrêter. » Et c'est comme ça qu'ils entrèrent dans Evansville, Norwood dans sa voiture, Mlle Phillips dans la sienne. Il n'y avait rien à faire dans le centre d'Evansville. Les lumières brillaient dans les vitrines mais les rues étaient calmes et désertes. Mlle Phillips fit beugler son klaxon. Il résonna en sonnant avec fracas, et la première impulsion de Norwood fut d'écraser le champignon, mais il s'arrêta. Mlle Phillips revint s'asseoir dans l'Oldsmobile.

« Et c'est quoi le souci cette fois ?

– J'ai envie d'un café, dit Mlle Phillips. J'aime pas être assise là derrière dans cette voiture avec personne au volant. »

En périphérie de la ville, dans un restaurant ouvert toute la nuit, ils s'assirent sur des tabourets et burent du café en mangeant des beignets froids à la confiture. Mlle Phillips était morose. Elle avait la tête pleine de bosses, avant comme arrière, et les jambes poisseuses de jus de pêche séché. La robe de soirée verte était en piteux état. Norwood s'emporta contre la serveuse au comptoir après qu'elle avait versé de la crème dans son café. Elle lui répondit qu'elle ne savait pas d'où il venait mais que s'il voulait du café noir il aurait dû le préciser. Il lui dit qu'il venait d'un coin où on vous laisse verser sa propre crème dans son café. Et qu'on vous la sert dans des petits pots de sirop d'érable avec un couvercle métallique à ressort.

Mlle Phillips mangeait son beignet d'un air mélancolique, sans faire attention à leur échange. « Sammy me trouverait un boulot tout de suite, dit-elle. Mais je voudrais pas que Grady sache où je suis. J'imagine que tu lui dirais.

– Après ce qu'il m'a fait, dit Norwood, je ne lui dirais même pas bonjour.

– Il s'est fait radier du barreau, il connaît cent façons de te mettre dans de sales draps. J'aurais trop peur que tu lui dises où je suis allée.

– Nan, je lui dirais rien je t'ai dit. Je préférerais même que tu continues de ton côté. Ça me ferait ça de moins à me soucier.

– Je suis désolée d'avoir été aussi mauvaise avec toi, le Rouquin. Et si tu me laissais prendre une de ces voitures ? »

Norwood posa les clés sur le comptoir. « Je veux plus rien avoir à faire avec toi ni avec ces voitures. T'as qu'à prendre les deux,

Laverne, et filer. Tu peux en donner une à Sammy. Dis-lui bonjour de ma part.

– Je peux en conduire qu'une. Va falloir me les décrocher. »

C'était un sacré boulot d'enlever la barre de remorquage. Tout ce qu'il avait sous la main était une paire de pinces. Quelqu'un avec de larges épaules et une clé en croix avait serré les boulons jusqu'à les gripper. C'était peine perdue, du moins avec des pinces. Il frappa et cogna avec une pierre. Puis il finit par s'y attaquer avec un manche de cric en battant la mesure « *Cette fois... cette fois... cette fois...* » jusqu'à ce qu'elle se libère. Mlle Phillips ne prit pas le temps de dire au revoir à Norwood. Elle monta dans l'Oldsmobile sans un mot ni un signe et la fit rugir dans la nuit du Midwest, projetant derrière elle les graviers de l'allée. La barre de remorquage et son ingénieux effet breveté, désormais un simple tas de ferraille, traînait derrière elle, rebondissant et faisant voler des étincelles sur l'autoroute.

Norwood conduisit la Pontiac au-delà des dernières lumières de la ville et bifurqua sur un chemin de terre. Il tourna encore une fois sur un chemin plein d'ornières, puis s'avança dans ce qui semblait être un parterre de myrtilles. Il mit la gomme pour traverser les fourrés et écrasa des arbrisseaux aussi épais que des bras, filant une sacrée frayeur aux êtres des forêts de l'Indiana, jusqu'à ce qu'il atteigne des arbres plus gros et s'arrête. Il ouvrit sa porte en forçant contre des buissons et regarda autour de lui. Ça n'avait pas été une grande idée. Qu'est-ce qu'une voiture pouvait bien faire ici ? Quelqu'un allait la signaler dès le lendemain matin. Il essaya de reculer mais les roues arrière étaient enfoncées dans du sable jusqu'au moyeu et refusaient d'en sortir. La barbe, il en avait assez de s'embêter avec ça. Il attrapa une serviette dans son sac et passa un bon coup de chiffon sur les poignées de portes et dans l'habitacle. Le jour où il avait enfin pu donner au corps des Marines ses empreintes digitales avait été pour lui un grand jour et elles reposaient maintenant dans un tiroir quelque part à Washington, attendant de l'incriminer. Il passa sa main sous la banquette pour vérifier qu'il n'avait laissé aucun indice. Aucune cacahuète ou médiator de guitare ou aucune autre chose qu'ils pourraient ensuite examiner au microscope. Ça sentait encore un peu Mlle Phillips là-dessous. Il brûla l'enveloppe en kraft avec son contenu, puis ferma son sac, se mit la guitare sur le dos et rebroussa chemin sur cinq kilomètres en direction de la ville jusqu'à la station essence la plus proche. Il resta debout sur l'autoroute, sous la lumière crue des lampes à mercure de la station, repoussant les insectes de son visage.

Le soleil avait déjà commencé à se lever quand quelqu'un se décida enfin à le prendre en stop. C'était un camion de pain. Le conducteur était un homme rond et voûté, coiffé de la casquette officielle du vendeur de pain ornée d'un médaillon en forme de soleil. Il portait un T-shirt si fin que ses poils passaient au travers. Une grosse médaille représentant un bulldozer était posée sur ses genoux. Norwood crut un instant que le type avait des bandes élastiques autour des poignets. Ils étaient gras et pleins de bourrelets, comme des poignets de bébé.

« C'est contraire aux règles, dit le livreur de pain, mais je peux pas laisser un homme dans la panade. Ma femme dit toujours que ma gentillesse me perdra.

– En tout cas, moi je l'apprécie, dit Norwood. Je commençais à être crevé. »

Le camion était un modèle de livraison sans siège passager et Norwood dut s'asseoir sur une caisse à pain en bois. Il posa sa guitare sur ses genoux. Un vilain flottement dans les roues avant la faisait rebondir et chanter.

« Je vais devoir faire quelques arrêts, mais un type comme vous, qui compte sur son prochain pour arriver à destination, ça peut pas vraiment faire le difficile.

– Aucun souci. Et merci bien.

– Vous auriez pas un dollar pour aider avec le plein ? »

Norwood lui donna un dollar. « C'est vous qui devez payer pour votre essence ? »

L'homme regarda droit devant lui. « Parfois oui.

– Combien ça paye un boulot comme celui-là ? dit Norwood. Livrer du pain ?

– Eh bien, ça paye pas aussi bien que de bosser sur un gros chantier mais y'a pas besoin de bosser trop dur non plus. Avant je conduisais un Caterpillar D-8 jusqu'à ce que je me casse le dos. J'ai rien foutu pendant mon arrêt de travail. J'allais juste voir des films. J'aime bien *Bip Bip et Coyote*.

– Ouais, moi aussi.

– J'pourrais passer une heure à les regarder se courir après.

– Moi aussi pour sûr. »

Le livreur de pain commença à résonner d'un rire silencieux. « Ce coyote, ou je sais pas si c'est pas plutôt un loup ou je sais pas quoi, à chaque fois qu'il grimpe sur une falaise avec un nouveau plan en tête, v'là pas que l'Bip Bip se pointe sur des patins à roulettes ou avec une de ses nouvelles inventions, une fusée ou une grosse boule de démolition, et il flanque une bonne branlée à ce coyote. » Il rit de nouveau, puis se calma. Une ou deux minutes plus tard son visage s'obscurcit d'un souvenir plus sombre. « Les Noveltoons ça c'est mauvais, dit-il. C'est toujours un cordonnier avec un tas de foutues souris qui chantent. Quand ils en passent un, moi je me lève et je vais me chercher un sachet de pop-corns ou autre chose. »

Ils continuèrent leur route en bringuebalant. Au premier arrêt, dans une épicerie de bord de route, Norwood acheta une brique de lait et demanda à l'épicier de lui faire deux sandwichs mortadelle-fromage avec de la mayonnaise. Il s'appuya contre l'étal de viande et mangea en regardant le livreur de pain faire son boulot. Le livreur retirait le vieux pain et apportait le pain frais. Il s'accroupissait et l'arrangeait sur l'étagère. Norwood remarqua qu'il faisait des trous avec ses doigts dans les pains de la concurrence. Leurs regards se croisèrent pendant une seconde, et le livreur détourna les yeux. Il essaya de se rattraper en faisant des gestes étranges avec ses mains, comme s'il avait une manière bien à lui d'organiser le pain. Norwood n'était pas dupe. Le livreur n'était pas doué pour la pantomime et il ne semblait pas réaliser qu'il était assez facile, à deux ou trois mètres de distance, de dire si quelqu'un était oui ou non en train de percer des trous dans du pain.

Il n'aborda pas le sujet, et Norwood non plus, mais une fois de retour sur la route, l'incident honteux pesa lourd sur la conversation. Le livreur essaya de la relancer avec un autre sujet. Il demanda à Norwood si c'était une guitare Gibson, mais avant que Norwood puisse répondre l'homme continua :

« Dans ma famille on a tous l'oreille musicale. Y'a des familles comme ça. Ma sœur jouait des solos de trombone à l'église. Papa jouait de l'accordéon et on chantait ensemble avec lui. Ça, il savait en jouer de son machin. Sans même savoir lire une note.

– Ils sont pas faciles à maîtriser, reconnut Norwood. J'aime bien écouter un peu d'accordéon de temps à autre.

– Papa est décédé deux jours après la fête du Travail en 1951 », dit le livreur de pain, coupant court à l'idée d'aller écouter le vieil homme jouer.

Ils ramassèrent un autre auto-stoppeur. Celui-là trimballait un sac de tomates. Norwood lui fit de la place sur sa caisse. L'homme était reconnaissant et profondément désolé du dérangement et insista pour leur serrer la main. Norwood n'avait jamais vu un type aussi heureux de monter dans une voiture. « C'est vraiment très chic de votre part, répétait-il.

– Je suis pas supposé faire ça, dit le livreur. Mais je veux laisser personne dans la panade. Moi-même peut-être qu'un jour j'aurai besoin qu'on me conduise. Vous allez loin ?

– Je vais jusqu'à Indianapolis. Ma femme est à l'hôpital là-bas. Elle a pas de glandes pour suer.

– J'ai jamais eu un rhume de ma vie, dit le livreur de pain.

– C'était vraiment chic de votre part de vous arrêter comme ça. Un tas de gens ont peur des auto-stoppeurs. Et on peut pas bien leur en vouloir.

– Vous auriez pas un dollar pour aider avec le plein ? »
L'homme eut l'air effrayé. « Non m'sieur, ça non. Tout ce que
j'ai c'est soixante cents et j'allais acheter de la crème glacée à ma
femme avec ça. C'est pour ça que je fais du stop. Je suis censé avoir
mon petit chèque vendredi. »
Le livreur arrêta le camion et fit un signe de tête vers Norwood.
« Ah mais, ce serait drôlement injuste pour lui si je vous fais
rester. Il a payé son dollar.
– Je m'en fiche, dit Norwood, ça me pose pas de problème. »
Mais le livreur ne semblait pas vouloir redémarrer le camion. Il
gardait les yeux fixés au loin, impassible.

« Ce qu'on peut faire, si vous me permettez de rester, de mon
côté, j'essayerai de faire un geste pour quelqu'un d'autre par la
suite. Comme ça je rends la pareille. Je fais une bonne action pour
quelqu'un et je lui dis d'en faire de même… peut-être même bien
que ça fera le tour du monde… »

Mais c'était inutile. Le type ressortit du camion avec son sac de
tomates, après à peine cinquante mètres. « Ah ça… merci quand
même… je suis vraiment navré… si ça avait été vendredi j'aurais
eu l'argent. » Il était peiné de les avoir embêtés. Tout le monde
avait raison sauf lui.

Le livreur de pain redémarra et jeta un œil à Norwood pour
voir comment il prenait la chose. « Il allait faire de bonne action à
personne. C'était rien que des conneries.

– Je crois bien qu'il l'aurait fait, dit Norwood. Vous auriez dû
lui dire de rester.

– Tu crois ça, hein ? Alors pourquoi t'as pas payé son dollar ?

– J'y avais pas pensé. J'aurais pu, faut croire… On peut y retourner et le récupérer.

– Je suis pas conducteur de bus. Et puis de toute façon, j'aimais
pas sa personnalité.

– Vous auriez dû lui dire de rester.

– Peut-être que toi, c'est ma personnalité que t'aimes pas.

– Je vous connais pas très bien.

– Peut-être bien que tu penses que j'ai un trouble dans ma personnalité.

– C'est juste que je vous connais pas.

– C'est pas une réponse ça. Pourquoi tu dis pas ce que t'as dans la tête ? Tu crois que je suis pas au courant que les gens m'aiment pas à cause de ma personnalité ? Je le sais bien, ça. Ma femme veut que j'aille suivre un cours. Ils en ont un à l'hôtel la semaine prochaine pour soi-disant vous aider avec vos ventes. C'est pour que les gens vous aiment bien.

– Pourquoi vous n'y allez pas ?

– Qu'est-ce que t'y connais toi ? T'es rien qu'un auto-stoppeur ramassé au bord de la route.

– Oh…

– Tu m'as vu abîmer le pain là-bas, pas vrai ?

– Je vous ai vu, ouais.

– J'ai rien à cacher. C'est eux qu'ont commencé. Qu'est-ce que tu veux que je fasse d'autre ?

– C'est pas mes oignons.

– Un peu que c'est pas tes oignons. Les types de Vita-White, ils ont marché sur mon pain. Ils l'ont écrabouillé à coups de pied. J'te dis pas le genre de microbes qu'ils doivent avoir sur leurs pompes. Ils en ont rien à foutre. Une mort d'enfant c'est pas grand-chose pour eux.

– Je crois que vous pouvez me laisser là, n'importe où.

– Je vais jusqu'en ville.

– Je pense que je vais descendre quand même.

– Ça me va. Je serais pas mécontent de me débarrasser de toi. T'es pas très agréable. »

Il se rangea sur le bas-côté et s'arrêta d'un coup. Norwood dit : « Bien aimable » et sortit.

« Faudrait voir à arranger un peu ta personnalité, l'auto-stoppeur. T'as un truc qui cloche.

– Toi faudrait voir à mettre quarante billets dans ce camion pour arranger un peu l'avant, dit Norwood, et installer des nouvelles suspensions.

– J'espère que personne s'arrêtera pour te prendre.

– Ça sert pas à grand-chose d'espérer. Quelqu'un s'arrêtera bien. »

Dans une salle de billard d'Indianapolis, un jeune employé très sûr de lui avec la même touffe de cheveux roux que Junior Tracy, dit à Norwood que si c'était lui qui devait aller à New York, il ne s'embêterait pas à faire du stop, mais il irait sur les voies de triage de Pennsylvania Street pour attraper un train de fret. Norwood joua avec lui au billard une bonne partie de l'après-midi et perdit 2,75 dollars, puis il s'envoya deux hot-dogs au chili, se dirigea vers les voies de triage et déambula dans le noir.

Il n'avait encore jamais fait ça. Il y avait des rails et encore des rails, des wagons vides et des locotracteurs qui avançaient avec fracas, des trains qui arrivaient et des trains qui repartaient. Ce qu'il devait faire c'était demander à quelqu'un. Il s'avança jusqu'à la gare et discuta avec un Noir en salopette qui poussait un chariot de courrier. L'homme montra du doigt un train de fret en préparation pour Philadelphie et lui dit de faire attention. Norwood fit le tour complet du train jusqu'à l'arrière – au lieu de simplement enjamber un des attelages – et passa de l'autre côté, là où il faisait plus sombre. Il marcha le long du train, comme un inspecteur tirant un dernier coup sur les portes des wagons de marchandises, et en trouva un qui lui convenait. C'était un wagon L&N d'un bleu passé avec une porte cabossée qui ne fermait pas complètement. Personne ne pourrait refermer cette porte derrière lui. Il la fit coulisser, gratta une allumette et regarda à l'intérieur. Aux deux extrémités de la voiture, des gros sacs de farine de cinquante kilos étaient empilés presque jusqu'au plafond. Il restait un espace libre au milieu du wagon. Il poussa son sac et sa guitare et monta après eux.

L'intérieur était noir comme un four, chaud, étroit, sans air. De toute façon, il allait voyager de nuit. Il ferait plus frais une fois qu'ils se mettraient à bouger. Le sol était couvert d'échardes. Il rêvait d'une lampe torche. Sûrement que c'était dangereux de craquer des allumettes avec toute cette farine. Il tira des sacs à terre et se fit un endroit où dormir. On aurait dit le nid d'un oiseau encore inconnu. Il retira ses bottes, s'installa à l'intérieur et fit glisser son chapeau sur ses yeux façon cow-boy. Non. Mieux vaut être prêt à bouger rapidement. Mieux vaut garder les bottes. Ce serait comme se faire choper par les niakoués enfoncé dans un de ces sacs de couchage qui s'ouvrent que jusqu'au milieu. Un sac à suicide. Il mangea une barre de céréales Payday puis se pela une orange. La mangea aussi, et resta allongé là, calme et sur ses gardes dans ces ténèbres enfarinées jusqu'à ce que le train s'ébranle.

Il s'élança dans un tressaillement métallique. Norwood était à moitié endormi. Il se tourna sur le côté et ajusta son chapeau. Des gouttes de sueur lui glissaient le long du dos en le chatouillant. Il suait comme un porc. Ça sue les porcs ? Non. C'est pour ça qu'ils aiment bien la boue. Les mules si, et les chevaux. Au soleil ils avaient la peau brillante et humide. Il essaya de se souvenir à quoi ressemblait la peau d'un porc au soleil. Il était incapable de dire s'il avait déjà vu un porc au soleil. Aussi loin qu'il s'en souvenait. Les porcs n'avaient pas à travailler. Est-ce que quelqu'un avait déjà essayé d'en faire travailler un ? Peut-être que par le passé, il y a longtemps, ça avait été tenté, et qu'ils avaient juste abandonné. Et qu'ils avaient dit à leurs fils que ce n'était même pas la peine d'essayer. Vaudrait mieux pas laisser la guitare comme ça. Y'a toute sorte de gens qui prennent ces trains. Il enroula deux fois la lanière autour de son poignet. Le sac était sous sa tête, à l'abri. Sa tête était en sécurité. Tout était sécurisé. Un troufion debout à la porte, balayette à l'épaule, essayait de le maintenir dehors. L'endroit est sécurisé. Mais même pour l'inspection des régiments ils étaient obligés de laisser un accès libre à une cuvette et un urinoir. Tout le monde savait ça. Pourquoi est-ce qu'ils continuaient à l'empêcher d'entrer à coups de balayette ? Norwood somnolait et se réveillait et soufflait de la farine par le nez et dormait et gémissait et faisait des rêves fous à propos de Mlle Phillips. Toute la nuit le train s'arrêta et repartit. Ça eut l'air de durer au moins trois jours.

Le train ralentissait pour l'arrêt à Philadelphie quand Norwood se réveilla soudainement. Profondément endormi, et l'instant d'après les yeux grands ouverts. La fente dans la porte laissait passer un épais rayon de soleil à l'intérieur duquel tout un tas de choses dansaient. Quelque chose clochait. C'était ses pieds. Il sentait de l'air sur ses pieds. Il se redressa et il n'avait plus rien d'autre dessus qu'une paire de chaussettes JC Penney à motifs losanges. Quelqu'un lui avait arraché des pieds sa paire de bottes à trente-huit dollars. L'enfoiré ! Il se leva, escalada le sol et tira des sacs par-ci et par-là mais ne trouva personne, et pas de traces des bottes non plus.

L'air dans le wagon fut bientôt tellement saturé de farine que Norwood dut ouvrir une des portes en grand et y sortir la tête pour respirer. Le problème venait de deux sacs qui s'étaient percés. Après qu'il eut repris sa respiration il les traîna et les poussa à l'extérieur. Le second s'accrocha sur la porte abîmée et pendit là pendant un moment, lui projetant de la farine dans le visage. Puis il se mit à balancer des sacs hors du train, des sacs en bon état, jusqu'à ce qu'il attrape une crampe à la nuque.

Le train entra sur les voies de triage sous le fracas répété de ses coups de sifflet, et alors qu'il s'arrêtait en hoquetant, Norwood attrapa son paquetage et sauta à l'extérieur en chaussettes. Ça piquait. Il s'accroupit et regarda attentivement de part et d'autre du train, à travers les roues, pour voir si quelqu'un d'autre en sortait. Personne. Il s'épousseta, frappant son pantalon avec son chapeau, et décida de revenir un peu sur ses pas le long des voies.

Il ne réussit pas à marcher longtemps. Les pierres et le mâchefer lui faisaient mal aux pieds et il s'assit sur un tas de traverses pour enfiler une deuxième paire de chaussettes. Alors qu'il était assis là à fumer une cigarette il aperçut deux hommes au loin remontant les voies. L'un d'eux portait une veste orange brillante qui l'aveuglait. Il devait avoir le genre de travail qui demande à ce qu'on puisse le repérer facilement depuis un avion. Norwood attendit.

Celui avec la veste était un grand type à rouflaquettes. Il portait aussi une casquette de l'équipe des St. Louis Cardinal. À ses côtés, avançant rapidement à l'aide d'un bâton de marche noueux, se tenait un petit homme courtaud et énervé avec un sac sur le dos. Il était couvert de farine de la tête aux pieds, sauf autour des yeux et de la bouche.

« Qu'est-ce qui t'est arrivé, collègue ? dit Norwood.

– T'aurais dû voir ça, dit l'homme avec la casquette des Cardinal. Un voyou balançait de la farine par la porte d'un wagon et Eugene, que voici, marchait tranquillement sans embêter personne, quand y'en a un qui lui est tombé dessus. Un des sacs, je veux dire.

– Il a été blessé ?

– Disons que, ça ne lui a pas fait mal, mais ça ne lui a pas fait du bien non plus. »

Il aurait bien aimé s'arrêter pour en parler un peu plus longuement, ce Cardinal sexagénaire, mais son petit pote continuait à avancer. Il ne lança même pas un regard à Norwood. Il avait l'air de quelqu'un bien décidé à aller dénoncer quelque chose. Norwood dut courir devant lui pour l'arrêter. « Hé là, minute papillon. Va falloir que je jette un œil dans ce sac. Quelqu'un m'a sucré mes bottes cette nuit. » L'homme enfariné leva les yeux et fixa Norwood d'un mauvais regard noir, mais ne répondit rien. Le Cardinal n'aimait pas bien la tournure que prenait la chose. Peutêtre pouvait-il lui expliquer à nouveau.

« On n'a rien à voir avec cette histoire de bottes. Eugene s'est pris de la farine dans la figure, c'est tout. Y'avait un voyou qui en balançait depuis un train. Moi-même, je me suis déjà pris un sac de courrier une fois, mais ça n'avait rien à voir avec ça. Là on aurait dit qu'une bombe de farine avait pété. »

Norwood contourna l'homme enfariné et leva le bras pour défaire les lanières de son sac. Là-dessus, l'homme enfariné se mit en action. Rapide comme l'éclair. Rapide comme un tigre. Il pivota et frappa Norwood trois ou quatre fois sur les bras avec son bâton, et lorsque celui-ci se brisa il cogna Norwood sur la bouche d'un direct du gauche avant de lui sauter sur le dos et d'y rester bien accroché comme un petit ours blanc. Le sac sur son dos faisant comme un ours encore plus petit.

« Attention ! Attention ! » dit le Cardinal. Il avait fait un bond en arrière pour bien s'éloigner de l'action. « Lâche-le, Eugene ! C'est encore un Hitler ! »

Norwood sautillait en envoyant des coups de coude à l'homme pour essayer de le faire tomber. Il recula et le cogna contre les traverses. L'homme avait entouré Norwood de ses chevilles, que ce dernier réussit à décrocher, mais il avait également une prise sur son cou qu'il refusait de lâcher. « Tu ferais mieux de le faire descendre avant que je lui brise le caillou », dit Norwood, s'arrêtant pour souffler une minute. Respirant fort. Sa lèvre supérieure en sang.

Le Cardinal s'approcha un peu. Ils allaient peut-être pouvoir enfin s'arranger. « Eugene ne pèse pas grand-chose, pas vrai ? dit-il.

– Pas question qu'il reste sur mon dos quand même.

– Il est assez léger pour être jockey. Mais évidemment, il est bien trop vieux.

– Combien de temps il tient en général ?

– J'en sais rien. Je ne l'ai encore jamais vu faire ça… On dit qu'une tortue qui mord ne lâchera pas avant l'orage. C'est ce que j'ai entendu. J'ai jamais été mordu par une tortue. Ma plus grande sœur s'est fait mordre par un renard enragé. Ils avaient pas de moustiquaire chez eux et il est rentré par une fenêtre, une nuit, et l'a mordue sur la jambe comme aurait fait un petit chien. Ils ont emporté la tête du renard dans de la glace jusqu'à Birmingham et on leur a dit qu'il était enragé et ils lui ont fait toutes les piqûres. Elle a dit qu'elle espérait bien ne plus jamais se faire mordre. »

Norwood jeta ses pieds en l'air et tomba à la renverse sur l'homme enfariné, ils heurtèrent les traverses dans un nuage blanc. L'homme enfariné fut écrasé entre Norwood et le bois et en eut le souffle coupé. Un bruit sortit de ses poumons, comme un gouh ! Il relâcha son étreinte et se releva en s'époussetant un peu, toujours défiant mais plus agressif. Norwood ouvrit le sac à dos et l'inspecta. Dedans se trouvaient des habits roulés, une poêle à frire en fonte et des plats à tarte, une boîte de tabac Granger, des couvertures en coton, des exemplaires de *Véritables Enquêtes Policières*, un gâteau de supermarché écrasé, des biscuits, des conserves de chili et de fèves, une tasse en plastique isotherme, une bouteille de sirop anti-toux, un réveil, et un vieux revolver calibre 32 à cinq coups avec barillet basculant, canon cannelé et plaquettes de crosse collées. Pas de bottes. Mais, dans une des poches latérales, il trouva quand même des chaussures.

C'étaient des bottines d'un autre âge avec des bandes élastiques sur les côtés. Norwood les essaya et marcha un peu en les pliant et en les regardant de profil. Elles étaient sacrément larges. C'étaient pas des pieds qu'Eugene avait, mais des palmes. Norwood dit : « Je te file deux dollars pour ces godasses.

– C'est mes chaussures d'intérieur, dit Eugene, parlant pour la première et la dernière fois.

– Si un type se pointe et qu'il a besoin de chaussures, faut que tu l'aides. T'as déjà des bonnes pompes aux pieds.

– Eugene ne veut pas vendre ses chaussures d'intérieur, dit le Cardinal.

– Toi, tu restes en dehors de ça , dit Norwood.

– Espèce de grand voyou international. T'es pire qu'un rejeton d'Hitler et de Tōjō. »

Norwood relança encore une fois Eugene : « Écoute, tu peux t'acheter une autre paire de ces godasses pour un dollar et demi, facile, à la boutique de l'Armée du Salut. Je t'en offre deux dollars. Et t'y penses à moi ? J'ai pas de chaussures. J'ai perdu des bottes à trente-huit dollars hier soir. Ils me les ont carrément retirées des pieds. Et ils m'ont rien donné à moi.

– Tu ferais mieux de refiler à Tōjō ce qu'il demande, Eugene. Il va te terroriser si tu l'fais pas. C'est comme ça qu'il fait des affaires.

– Arrête de m'appeler Tōjō.

– C'est un pays libre, voyou. J'ai le droit d'appeler les gens comme je veux. Pas vrai, Eugene ? »

Norwood roula les deux billets d'un dollar en un cylindre qu'il poussa dans la poche de chemise d'Eugene. « Je devrais rien te donner du tout. À sauter sur le dos des gens comme ça. Tu vas finir par te retrouver en institution si tu fais pas attention. »

Norwood paya son billet et embarqua dans un train de banlieue direct pour New York. Il s'installa dans la section fumeur sur un fauteuil vert capitonné positionné en travers, et posa ses coudes sur les deux accoudoirs. Il acheta un café dans une tasse avec des anses en carton et un beignet épais comme un gâteau, qui lui collait à la bouche et avait un goût épicé désagréable. « Vous voulez le reste ? » dit-il à l'homme assis à côté de lui.

« Non, merci.

– J'ai pas mis les doigts dessus.

– Merci mais non. »

Norwood le posa dans le cendrier en chrome entre leurs sièges. L'homme y jeta un regard, et une minute ou deux plus tard, un autre. « Je ne vois pas vraiment où je pourrais le mettre d'autre », dit Norwood. Il le récupéra, le mit dans sa tasse vide et la tint entre ses doigts. Ses mains étaient froides. Trop fumé ? Il plia ses doigts et fit craquer les articulations. Un homme à nœud papillon de l'autre côté de l'allée, une tête pas terrible mais à coup sûr père d'une jolie fille, le regardait. Norwood le regarda également. L'homme leva les yeux vers le plafonnier pour calculer ses dimensions et son intensité. Il n'y avait pas une fille dans le train, pas une seule femme, seulement des types propres sur eux. Qui prenaient un bain tous les jours, tous les matins. Il en surprit un autre en train de le regarder un peu plus loin. Il n'était clairement pas beau à voir, aucun doute là-dessus. Une de ses semelles pendait de sa chaussure et il sentait fort la transpiration. Sa barbe rousse commençait à se hérisser et il avait des plaques de farine sur le dos comme de la neige sale là où Eugene s'était accroché. Un jour Eugene va faire son affaire à quelqu'un avec ce calibre 32. Il va se recevoir de la poudre à fusil plein le visage avec un barillet branlant comme le sien.

Il prit un autre café, à un comptoir de Penn Station. Là aussi les gens le dévisagèrent, mais cette fois moins longtemps, parce qu'ils devaient retourner à leur journal. Il ramassa sa monnaie et la regarda. « Hé attendez une minute », dit-il à la serveuse. Elle avait les cheveux noirs empilés sur la tête et des yeux sombres de tigre. Elle revint et essuya machinalement le comptoir d'un coup d'éponge bleue, sur le dos de laquelle trônait un unique cornflake. Elle regarda la pièce de dix et celle de cinq dans la main de Norwood. Le compte y était. Les gens jetèrent des coups d'œil furtifs par-dessus leur journal. Ce type avec le chapeau cherchait des ennuis.

« Qu'est-ce qu'il y a ? dit la fille.

– Faut croire que pour vous, c'est Noël avant l'heure, dit-il.

– J'pige pas. »

Il montra les quinze cents. « C'est cadeau.

– Oh, l'autre hé. »

De l'autre côté de la grosse cuve en plastique de jus d'orange quelqu'un demanda : « Qu'est-ce qu'il a dit ? » Et quelqu'un d'autre répondit : « J'ai pas réussi à entendre. » Puis ils retournèrent tous à leur journal. S'il s'était passé quelque chose, c'était désormais terminé.

Un sympathique première classe de l'armée de l'air trouva le numéro de Joe William dans le bottin de Manhattan. Norwood essaya de lui donner vingt-cinq cents mais il ne voulut rien savoir. Alors il prit son sac et sa guitare avec lui dans la cabine et composa le numéro. Le téléphone commença à sonner, puis vint un bruit décevant et une voix enregistrée disant que le numéro n'était plus attribué. Il récupéra ses dix cents et appela l'opératrice. Après une courte discussion elle le transféra à son responsable.

« Ce numéro n'est plus attribué, monsieur, dit le responsable.

– Ouais, l'autre me l'a déjà dit. Vous savez pas s'il est reparti chez lui ou quoi ?

– Nous n'avons pas cette information.

– Je me disais qu'il a peut-être dit à quelqu'un là où il allait, au cas où que quelqu'un d'autre ait besoin de le joindre.

– Non monsieur, nous n'avons pas ce genre d'information.

– Faut dire, vous pouvez sûrement pas être au courant de ce que tout le monde fait, pas vrai ?

– Tout à fait, nous ne pouvons pas.

– Mm-mmh. Je vois. Au revoir alors.

– Au revoir. »

Il se débarbouilla dans les toilettes pour homme mais n'arrangea pas grand-chose. Ce dont il avait besoin, c'était d'un bain et d'un coup de rasoir. Il avait les cheveux raides et douloureux quand il appuyait dessus par endroits. C'était pas un lieu pour se raser, pire qu'une caserne. Les allées et venues, les chasses d'eau, les gens se peignant derrière vous et le manque de surface plane autour du lavabo pour poser ses affaires. Les robinets étant équipés de ressorts puissants qui empêchaient de laisser l'eau couler. Un homme le bouscula en disant « Désolé » et Norwood vérifia rapidement son portefeuille et s'assura que sa poche revolver était boutonnée. C'était le genre d'endroits dont les pickpockets raffolaient. Ces salopiauds avaient la main rapide, ils l'auraient déjà dans tes vêtements que tu ne t'en rendrais pas compte. Il se sécha sous un séchoir à air chaud.

Dehors, un portier lui indiqua la direction de Times Square. Alors qu'il remontait la Septième Avenue, un homme aux yeux gonflés (un camé ?) l'arrêta et tenta de lui vendre un stylo-bille quatre couleurs pour un dollar. Norwood le repoussa. Qu'est-ce qu'ils croyaient, qu'il était le genre de type à acheter ça dans la rue ? Pas moyen de savoir ce qu'ils pouvaient penser, à le voir habillé comme ça. Qu'il allait être émerveillé par toutes ces choses, comme dans *Les Aventures de Tarzan à New York* ?

Il regarda les affiches de films de part et d'autre de la Quarante-deuxième Rue et se paya un verre de bière et de gigantesques frites ondulées. Les vitrines étaient remplies de bon matos en matière de transistor et de jumelles. Est-ce que quelqu'un vivait au-dessus de ces salles de cinéma ? Il se regarda passer sur les écrans de télévision au Robert Ripley's Believe It or Not Odditorium, et alla voir toutes les curiosités au sous-sol. Il voulait bien croire à la plupart, mais pas à celle de l'officier W. M. Pitman de Wharton, Texas, qui aurait tiré une balle pile dans le canon du flingue d'un voleur en 1932. En même temps, le flingue était là, pourquoi est-ce qu'ils inventeraient un machin comme ça ? De l'autre côté de la rue il regarda un homme coiffé d'un bonnet assis derrière une machine à coudre. L'homme parlait avec la voix de Donald Duck et cousait des noms sur d'autres bonnets. Stella, Fred et Ernie. C'était du travail de bonne qualité. Comment est-ce qu'il avait trouvé ce boulot ? Combien ça pouvait payer ? Être capable de coudre des noms et de parler comme Donald Duck. Il remonta jusqu'à la Cinquante-neuvième Rue, où les attractions commencèrent à se tarir, avant de réapparaître. Il y avait un homme en costume de Mr Peanut devant le magasin des noix Planters. Mais il ne distribuait pas d'échantillons de noix, il marchait seulement de long en large sur le trottoir. La coque de Mr Peanut avait l'air chaude. Elle avait l'air assez épaisse pour le protéger des petits calibres.

« Ils vous payent à l'heure ou quoi ? dit Norwood au visage de la cacahuète à monocle.

– Ouais à l'heure, dit une voix méfiante et étouffée à l'intérieur.

– Je parie qu'il est lourd ce costume.

– C'est pas si lourd, non. J'ai commencé ce matin.

– Combien vous touchez de l'heure ?

– T'en poses des questions toi.

– Vous emportez le costume chez vous ?

– Non, je le laisse ici. Dans la boutique.

– Celui à Dallas, il file des noix gratuites.

– On m'a jamais rien dit là-dessus. Ils m'ont jamais parlé de ça.

– Il donne pas grand-chose hein, juste deux ou trois noix de cajou.

– Moi, on m'a jamais rien dit là-dessus. Le soir je travaille à la poste.

– D'accord. À la revoyure, Mr Peanut. Vas-y mollo.

– OK. Toi pareil. »

Au Centre d'information de Times Square, une femme d'environ quarante ans mais avec un cou lisse et poudré qu'il n'aurait pas détesté mordre, lui donna une carte du métro et lui dit que le meilleur moyen d'aller jusqu'à l'adresse sur la Onzième Rue Est était de prendre le BMT jusqu'à Union Square, puis de changer pour la ligne Canarsie-Quatorzième Rue qui va vers l'est et de sortir à la Première Avenue. Impossible à mémoriser. En chemin vers la bouche de métro il s'arrêta au stand d'un cireur de chaussures pour demander à nouveau. Ce n'était d'ailleurs pas un stand mais plutôt une entaille dans le mur juste assez grande pour y faire tenir une chaise et le cireur lui-même, qui était petit, bronzé et portait un tablier.

« Dites voir…

– Dégage, l'ami, dit le cireur, sans lever les yeux de son travail. J'ai pas le temps de répondre aux questions.

– Je voulais juste savoir…

– Si tu veux savoir un truc, demande à un flic. Sont payés pour ça. Moi je paye deux cents dollars par mois pour ce trou à rat et à vingt cents le coup de cirage, ça me fait deux mille chaussures individuelles à cirer juste pour payer mon loyer. »

Norwood oublia aussitôt son problème. « Vous calculez pas vos pourboires là-dedans ?

– J'ai pas le temps de bavasser, l'ami. Dégage, pigé ? Si j'étais payé par la ville ça serait une autre affaire. Tout le monde croit que je suis payé par la ville.

– Vous essayez de faire comme si vous deviez cirer plus de pompes que ce dont vous avez réellement besoin. Pourquoi vous comptez pas vos pourboires dedans ? »

Le cireur se leva, mit un poing sur sa hanche et commença à s'échauffer. « Tu peux pas le compter comme ça, monsieur Le Malin. Faut le compter à partir de ton tarif de base, qui est de vingt cents. Y'a plein de p'tits malins qui croient en savoir plus que moi sur mes affaires. »

L'homme dans la chaise posa son magazine. « Écoutez, je suis un peu pressé, dit-il.

– Sûr que t'es pressé, dit le cireur. Je suis pressé, tout le monde est pressé, sauf ce petit malin qui a le temps de descendre la rue en disant à tout le monde comment faire leurs affaires. Comment est-ce que je peux bosser avec un petit malin debout derrière moi à me dire comment gérer mes affaires ? La réponse c'est… que je peux pas.

– Laissez-le tranquille, mon vieux, dit l'homme dans la chaise.

– Va emmerder le maire Wagner, dit le cireur. En voilà un qui a besoin de conseils. Dis-lui comment gérer sa ville. Il est payé par la ville, lui. Arrête de m'emmerder, et va plutôt emmerder quelqu'un qu'est payé par la ville. »

Le métro était mieux entretenu et bien mieux éclairé que Norwood l'aurait pensé, et plus rapide aussi. Il se fraya un chemin jusqu'à la voiture de tête et regarda par la vitre avec les mains en coupe autour du visage. Il fut déçu de voir un tunnel aussi spacieux. Seul un homme très gros pouvait se retrouver coincé là-dedans face à un train en approche. L'air sentait l'électricité et la terre.

Dans l'un des couloirs pour piétons de la station d'Union Square, un homme était étendu sur le béton, en pleine crise, forçant les gens à le contourner dans le passage étroit. Norwood le regarda faire ses dernières secousses, puis un long soupir. Il savait qu'il devait vérifier si l'homme n'avait pas avalé sa langue, comme ils avaient l'habitude de le faire avec le petit Eubanks en primaire, mais il n'avait aucune envie de mettre son doigt dans la bouche du type à moins d'y être vraiment obligé. C'était pas un problème pour un docteur. Ils s'en foutent de là où ils peuvent bien mettre leurs mains. Il attrapa l'homme sous les bras et le redressa contre le mur. L'homme roula des yeux. Il avait les jambes en coton et était incapable de se tenir debout tout seul.

« Vous voulez de l'eau ? dit Norwood.

– De l'eau ? Ouais.

– Ah… j'en ai pas sur moi. Et une cigarette ?

– On a pas le droit de fumer ici.

– Qu'est-ce que vous avez ?

– Laissez-moi une minute, ça va aller. »

Une femme avec des paquets s'arrêta pour savoir ce qu'il se passait et Norwood lui dit d'aller voir si elle ne pouvait pas trouver quelqu'un. Elle lui dit qu'elle allait prévenir un agent des transports publics. Norwood patienta. Sans plus rien pour les gêner, les gens se pressaient maintenant en un flot régulier. Aucun agent n'arriva. Un pied frotta contre la guitare et la fit sonner. L'homme ferma les yeux et dormit un peu comme ça, debout. Toujours aucun agent. Norwood tendit la main dans le courant et attrapa le bras d'un homme, un type bien habillé vêtu d'un costume soigné aux reflets métalliques.

« Tenez donc ce type un instant. »

L'homme bondit et fit ce qu'on lui demandait. Puis il dit : « Hé, qu'est-ce qu'il se passe, vous là ! »

Norwood ramassait son barda. « Quelqu'un va venir le chercher. Ils sont en chemin.

– Où est-ce que vous allez ? Mais qu'est-ce que vous croyez ? Vous n'avez aucun droit de me détenir comme ça. Je suis un officier de justice. Je dois aller en ville.

– On a tous un train à prendre. Et moi je peux pas rester là à aider des gens toute la journée. Je suis même pas d'ici.

– Je ne me verrais pas forcé contre mon gré, vous m'entendez ? Et ceci est tout à fait contre mon gré.

– Je dois y aller. »

Norwood n'eut pas de problème à trouver la Canarsie Line, mais une fois dans le train il laissa son esprit errer et se retrouva soudain sous la rivière, puis à Brooklyn. Arnold. Est-ce qu'il était en contact avec Grady ? Il traversa la station, rebroussa chemin dans un autre train et cette fois resta debout devant les portes tout le trajet. À nouveau la lumière du jour. Première et Quatorzième Avenue. Immeubles et poubelles. Voilà où les gens de New York habitaient. Leo Gorcey et sa bande échafaudant un plan dans un magasin de bonbons. Huntz Hall qui faisait tout capoter. Satch. L'adresse sur la Onzième Rue était à deux pas. Sur le trottoir devant l'immeuble des jeunes Portoricains torses nus faisaient griller des marshmallows au-dessus d'un matelas fumant.

Norwood s'arrêta, regarda les numéros d'immeuble et appuya sa guitare contre son pied. « On s'amuse bien, les gars ?

– C'est un feu de camp », dit l'un d'entre eux. Il portait une paire d'énormes lunettes comiques et gardait la tête penchée en arrière pour les empêcher de glisser. Il offrit à Norwood un marshmallow noirci au bout d'un cintre déplié.

« Je pense que je préférerais en prendre un directement dans le sachet. Comme ça il ne risque pas d'avoir le goût de quelque chose qui a cuit au-dessus de cheveux brûlés. » Il tendit la main vers le paquet en cellophane mais un des garçons le retira de la marche. Norwood laissa filer. « Vous devriez vous trouver du bois. Faut un feu de bois pour ces choses-là.

– On n'a pas de bois.

– Allez à l'épicerie et prenez une cagette de fruits. Ils vous laisseront en prendre une. Du pin ferait bien mieux l'affaire que ce machin-là. »

Le gamin qui avait attrapé les marshmallows montra la guitare du doigt. « Tu sais en jouer ?

– Ouais et je serais pas contre vous en chanter une petite dans un moment. Vous savez pas où c'est que je pourrais trouver un certain Joe William Reese ? »

Personne ne répondit.

« Je sais qu'il habite là. Je l'ai noté sur un bout de papier. »

Personne ne répondit.

« Quand est-ce que tu vas jouer de ta guitare ? dit l'attrapeur de marshmallows.

– Je sais pas trop. Peut-être que pour finir j'vais pas en jouer.

– Marie, elle a une guitare. Elle connaît une centaine de chansons.

– Elle en connaît pas autant.

– Si, je te dis.

– Moi, j'en connais qu'une seule. C'est à propos d'un écureuil. Il habitait dans la forêt et à chaque fois qu'il trouvait quelque chose de bon à manger, ses amis avaient faim et venaient le voir parce qu'ils en voulaient. Ils disaient : "Hé l'écureuil, laisse-moi mordre un coup dans ton Mars." Et l'écureuil disait, bien mauvais : "Nan ! Je vais le manger tout seul ! Et c'est sacrément bon !" Alors très vite dans la forêt on s'est mis à l'appeler Radin l'écureuil et il n'eut plus aucun ami avec qui jouer. »

Les garçons regardèrent Norwood.

« Enfin, c'est comme qui dirait plus une histoire qu'une chanson, dit-il. Mais y'a une belle morale là-dedans. »

Il examina une rangée de boîtes aux lettres dans l'entrée et le nom de Joe William y était, pas de doutes, même s'il avait été crayonné par-dessus le n° 2. Le couloir était sombre et couvert de moutons de poussière que le balai avait ratés. Ils avançaient en roulant comme des toutes petites boules d'herbes sèches. Norwood craqua une allumette et trouva le n° 2 du premier coup. Il resta derrière la porte un moment. Il y avait du mouvement à l'intérieur. Il ouvrit l'étui de sa guitare et sans l'accorder, frappa bruyamment une corde en nylon et chanta :

There'll be smoke on the water
And the land and the sea
When our army and navy
*Overtake the enemee...**

---

*Smoke on the Water : *chanson patriotique de Red Foley (1944), populaire chez les Marines. « La fumée s'élèvera sur l'eau/sur la terre et sur les flots/quand l'armée et la marine/s'abattront sur l'ennemi. »*

Un chien se mit à aboyer à l'étage, un petit chien coriace, puis une femme prit le relais et commença à lui crier dessus. La cage d'escalier résonnait d'insultes de bonnes femmes en espagnol. La porte s'ouvrit de quelques centimètres et Norwood fit tournoyer sa guitare avant de se mettre en position de boxeur. « Qu'est-ce que t'en dis, l'artiste », dit-il. Mais ce n'était pas du tout Joe William. C'était un jeune homme court sur pattes avec une tignasse et un pull vert. Il était en train de manger un sandwich. Il dit : « Qu'est-ce que c'est que ça ? »

Norwood dit : « Ah, je croyais que Joe William Reese habitait ici.

– Eh bien, avant oui, mais il est parti depuis. Vous l'avez raté de peu.

– Il est allé où ?

– Chez lui. Quelque part en Arkansas. Ça fait deux jours. Vous êtes un ami ?

– On a fait l'armée ensemble. Compagnie How, 3e bataillon, 5e Marines. Il me doit du pognon.

– J'en déduis que vous venez aussi d'Arkansas.

– Nan, moi de Ralph, Texas. On a vécu en Arkansas, mais quand j'étais au collège on a déménagé à Ralph. C'est juste de l'autre côté de Texarkana. Le comté de Bowie.

– Je vois. Et alors, comment va la vie dans le comté de Bowie ?

– Au poil. Il est rentré chez lui pourquoi ?

– Eh bien, à ce que j'ai compris, il suivait une fille.

– Quelle fille ?

– Une fille de vers chez lui. J'ai oublié son nom. Elle suivait des cours à Columbia histoire de tuer le temps, et voulait aller à Paris ou en Italie, ou je sais pas où. Mais son père lui a dit qu'elle devait d'abord rentrer un peu à la maison. Reese essaye de lui passer la bague au doigt. C'était pas très clair comme histoire. Je me souviens plus vraiment des détails. J'en ai déduit que sa famille avait de l'argent.

– Ouais, je vois bien qui c'est. Il l'a dans l'œil depuis un moment.

– Bref, voilà l'histoire. Il s'est tiré.

– Qu'est-ce qu'il faisait ici ?

– Travaillait à la poste.

– Il aurait pu faire ça chez lui.

– Pas faux. Mais bon, la fille était ici. Dis voir, tu veux un peu de café ? T'as l'air bien claqué. J'étais en train de déjeuner.

– Je dis pas non.

– Entre donc.

– Je dirais pas non à un sandwich non plus.

– Bien sûr. Mais j'ai bien peur de n'avoir que du pâté en conserve.

– Ça ira très bien.

– Et ça devra être sur des pains à hamburger, je suis à court de pain.

– Ça ira très bien.

– Ces machins sont vraiment pas chers mais sacrément nutritifs. » Il prit la boîte de conserve et lut l'étiquette. « Écoute ça : "gras-double, cœur de bœuf, bœuf, porc, sel, vinaigre, arôme, nitrite de sodium." Tu sais ce que c'est le gras-double ?

– C'est les tripes.

– C'est ce que je pensais. J'me disais bien que c'était quelque chose du genre.

– C'est tout de la viande. Et de la viande c'est de la viande. T'as déjà goûté la cervelle d'écureuil ?

– Non, c'est comment ?

– Un peu comme la cervelle de veau. C'est pas mauvais si t'y penses pas trop. Le pire c'est de briser leurs petits crânes. Un truc que je mangerai jamais c'est le fromage de tête. Ma sœur Vernell, tu lui donnes une cuillère et elle t'en mange un demi-kilo sans s'arrêter. Y'en a qu'appellent ça de la salade de museau.

– Pourquoi ils appellent ça comme ça ?

– J'en sais rien. Faut bien un nom pour tout.

– Oui, j'y avais jamais pensé. En tout cas, c'est deux bons noms. Fromage de tête, salade de museau.

C'était un appartement tout en long avec des murs roses écaillés et une baignoire dans la cuisine. Deux valises ouvertes étaient posées sur le canapé du salon et un gros carton de lessive Tide au centre de la pièce débordait de livres et de liasses de journaux. Un gros cafard était en train d'essayer de sortir de la baignoire par le pan incliné. Il paraissait déboussolé et n'arrêtait pas de glisser en arrière. Norwood s'assit à la table de la cuisine et poussa des cendriers et des magazines pour se faire une place où manger sur la nappe. Il ramassa une bombe aérosol insecticide et pulvérisa quelques pressions.

« C'était ici que Joe William habitait ?

– Oui.

– Je m'étais imaginé qu'il aurait une meilleure piaule que ça. »

Le jeune homme à la tignasse mettait une casserole d'eau sur le feu. « C'est pas terrible, hein ? dit-il. Mais c'est pas aussi horrible que celui juste au-dessus, si t'arrives à y croire. C'était le mien. J'ai déménagé ici hier après-midi. Le loyer est le même. Celui-là est un peu plus pratique aussi.

– Le loyer est de combien ?

– Soixante par mois.

– Ah bah merde. Tu pourrais rembourser le crédit d'une chouette baraque pour ce prix-là. Tout est cher à New York, pas vrai ? » Il se fit un sandwich et l'attaqua.

« Oui, faut croire. Tiens d'ailleurs, je m'appelle Dave Heineman. »

Norwood lui serra la main. « Ravi de te rencontrer, Dave. Moi c'est Norwood Pratt. T'es quoi, un Italien ?

– Non, un Juif de New York.

– Ah.

– T'en connais des Juifs ?

– J'en sais rien. Je crois pas. Enfin, y'a M. Haddad de la boutique Haddad à Ralph. *On habille toute la famille.* C'est ce qui est écrit sur sa vitrine.

– Ça sonne plutôt syrien je trouve.

– Peut-être bien. Je serais bien incapable de dire la différence. J'étais en camp d'entraînement avec un Juif de Chicago, un Silver. Je savais pas que c'en était un avant que quelqu'un me le dise. Au lieu de dire "Éteins la lumière" il disait "Ferme la lumière." Impossible de lui faire dire autre chose.

– Pourquoi tu pensais que "Heineman" c'était italien ?

– T'as juste l'air italien.

– Ce Silver, il était bon soldat ?

– Bah, il était pas soldat, il était Marine. Mais ouais, il était pas mauvais. Sauf qu'il disait ferme la lumière. Tu fais quoi, Dave, toi aussi tu bosses à la poste ? Tous ceux que j'ai rencontrés jusque-là y bossent.

– Non, je bosse pas vraiment quelque part. Ou bien à la maison. Je suis rédacteur pigiste pour les voyages. Mais j'écris seulement à partir de brochures. Je ne voyage nulle part, en tout cas pour l'instant. Digne et insouciante Lima, ville de contrastes où l'ancien se mêle au moderne. À l'ombre des tours de verre modernes, des vieux potiers au travail répètent à l'infini leurs savoir-faire ancestraux. Voilà ce que j'écris.

– Ça rapporte ?

– Pas comme je m'y prends. Ça rapporte si tu les enquilles à la chaîne. Mais moi ce que je veux c'est les voyages, les cadeaux, le vrai travail de profitard. Une fois que t'es dans le coup c'est du tout cuit. Mais mon problème c'est que je suis flemmard. J'ai un article sur la Provence à rendre au *Trib* dans l'après-midi et j'ai pas écrit un seul mot. J'ai passé la matinée à boire des cafés, à fumer et à lire des réclames de pochettes d'allumettes. La fabuleuse recette de sauce tomate Hunt. *Choisissez-moi. Finissez votre scolarité depuis chez vous.* T'as terminé le lycée, Tex ?

– Nan.

– J'me disais bien. Tiens, prends ces pochettes-là, tu jetteras un œil à ce cours.

– Merci. Y'a l'eau qui bout. »

Heineman fit du café instantané dans deux grosses tasses rouges à rayures de chez Walmart Discount Store. « Comment s'est passé le voyage ? demanda-t-il. Peut-être que je peux faire un article là-dessus. "Visitez d'abord l'Amérique."

– Ça a été, dit Norwood. Un vagabond m'a tiré mes bottes dans le train. Un lascar adroit comme un singe. Il me les a retirées des pieds sans que je me rende compte de rien. Ouais, ça, j'aimerais bien mettre la main sur cet oiseau-là. J'lui en ferais manger, des bottes. Même si c'est le roi des vagabonds. C'était p't'être même bien le roi des vagabonds. Il était sacrément adroit. Enfin, je raconte n'importe quoi.

– Sur quoi, le roi ?

– Ça ils ont un roi. Vrai de vrai, c'est pas du chiqué, je l'ai lu. Ils ont un roi comme en Angleterre et en France et il règne sur tous les clodos du pays, comme un… un roi.

– J'ai remarqué tes bottines. Tes vieilleries avachies. »

Norwood s'éloigna du sujet des vagabonds et regarda ses chaussures avec un froncement de sourcil étonné, comme s'il n'était pas sûr de savoir comment elles étaient arrivées là. « Je viens de les avoir, dit-il. Un type me les a données. Elles sont pas terribles.

– Je vois pas ce qu'elles ont de mal. Qu'est-ce qu'elles ont de mal ? »

Norwood en fit tourner une au bout de son pied. « Je dois bien avouer une chose : ces petites pépettes sont confortables.

– Attends voir. T'es en train d'essayer de me dire que l'attrait principal de cette chaussure, c'est son confort et non pas son style, c'est bien ça ? »

Norwood étala encore un peu de pâté de viande sur du pain à hamburger. Il s'arrêta, tenant le couteau à la verticale dans son poing, et regarda autour de lui. On aurait dit la version adulte d'un personnage de comptine pour enfants attendant son dessert. « Elle est où la *maianaise* ? dit-il.

– Y'en a pas, dit Heineman. Prends la moutarde là, s'il en reste.

– La *maianaise* c'est meilleur avec le pâté en boîte. » Il racla le pot de moutarde avec un couteau et la fit sortir par petites touches.

« Et des cornichons ?

– Non, j'ai bien peur d'être à court de tout, Tex. Je savais pas que tu viendrais, sinon j'aurais fait des réserves. Des oignons grelots. Un plateau de condiments. Peut-être une salade.

– Tu sais, je me sens idiot d'avoir fait tout ce chemin alors que Joe William est en fait déjà là-bas. J'aurais pu m'arrêter chez lui sur le chemin. Je suis passé à quelques kilomètres à peine. J'y ai même pas pensé. Ses parents m'ont dit qu'il était ici.

– Combien il te doit ? Si c'est pas trop personnel comme question.

– Soixante-dix dollars.

– Ouais ça, moi je dis que c'est perdu d'avance cette histoire. Même si tu l'avais croisé ici, t'aurais sûrement jamais eu ton argent. C'est encore un plus gros parasite que moi. Il m'a bien eu avec son air de campagnard et il a filé d'ici en me devant vingt-cinq dollars.

– Il est rentré comment, avec la fille ?

– Je sais pas vraiment s'il est rentré physiquement avec elle. Je crois qu'il a pris l'avion.

– L'avion ? Et moi je suis là à prendre des trains de marchandises alors que c'est lui qui me doit de l'argent.

– Enfin, ça sert à rien de s'énerver là-dessus, non ?

– Qu'est-ce que tu veux dire ?

– Je veux dire que pour soixante-dix dollars, ça vaut pas vraiment le coup de s'embêter autant, si ? De faire… quoi ? Trois mille kilomètres ? Et de perdre ses bottes ? Fais le calcul.

– Je montais ici de toute façon. Il me doit de l'argent. C'est pas une dette de jeu, c'est mon propre argent.

– Ouais, mais c'est seulement soixante-dix dollars. Et c'est quoi tes chances de les revoir avec un type comme Reese ? T'as jamais perdu d'argent avant, ou quoi ? Oublie, merde. Retourne donc à… c'est où que tu bosses, Tex ?

– Je bossais à la station Nipper de Ralph.

– Alors oublie et retourne donc à la station Nipper de Ralph, je crois que cette dette te monte trop à la tête.

– J'ai dit que je bossais là-bas. J'y bosse plus. Je suis chanteur de country & western maintenant.

– D'accord. Ce que je veux dire c'est que ton argent s'est fait la malle.

– Je le retrouverai.

– OK, fais comme tu veux.

– En plus, j'aimerais bien le revoir.

– OK.

– C'est pas seulement pour l'argent.

– OK, très bien. C'est pas mes oignons de toute façon. »

Heineman se leva, se dirigea vers le frigo et rapporta un petit pot de cottage cheese. « T'en veux un peu ?

– Je mange pas ces trucs, répondit Norwood.

– Parfait. Y'en avait pas assez pour deux de toute façon. » Il mit du sel et du poivre dessus et le mangea à même le pot.

« Tu connais des filles beatniks ? » dit Norwood.

Heineman mangea et y réfléchit une minute. « J'en connais quelques-unes qui ressemblent à des beatniks. J'imagine que c'est pareil. Y'en a une au troisième. Ouais, Marie, elle est beatnik, pas de doute. Tu voudrais que je te la présente ?

– Pour sûr, oui.

– Elle chante, tu sais. Je crois que tu vas bien l'aimer, Marie. » Il s'arrêta de manger et renifla. Il fit une grimace, s'avança vers la fenêtre du salon et s'y pencha. « Bon, Raimundo, c'est fini les conneries ? dit-il. Je t'ai déjà dit d'arrêter de faire cramer ces machins puants là-dehors. »

Raimundo c'était celui avec les grandes lunettes de soleil. Lui et les autres s'enflammèrent. « C'est un feu de camp ! dit-il.

– Non, c'est pas un feu de camp, c'est un matelas qui crame sur la Onzième Rue et ça pue. Alors, va mettre un coup d'eau dessus. »

Raimundo le défiant, s'enflamma à nouveau. « On a pas envie.

– J'ai dit, éteignez ça.

– On s'amuse.

– Peut-être bien, mais j'ai pas envie que vous vous amusiez.

Cavanagh, le capitaine des pompiers, ne veut pas que vous vous amusiez non plus. Il en a même parlé personnellement à la radio. Je crois que je vais l'appeler.

– T'as pas de téléphone.

– Dis donc, arrête de me casser les pieds. C'est une honte pour le quartier. Le *Post* va finir par débarquer et prendre des photos sordides.

– Je veux mes cinquante cents, dit Raimundo.

– Recommence pas avec ça. T'auras ton fric.

– Quand ?

– Bientôt. » Il referma les deux fenêtres, retourna dans la cuisine et se remit à son cottage cheese. « Les salopiauds. J'espère bien qu'ils vont tous attraper des maladies respiratoires cet hiver.

– Si j'étais vous, dit Norwood, j'aurais honte d'emprunter de l'argent à des gamins.

– C'est pas vraiment que je leur emprunte de l'argent, d'ailleurs ils en ont pas, mais Raimundo fait quelques courses pour moi.

– Dis-moi, je peux me raser ici ?

– Ouais, c'est juste là, l'évier de la cuisine. Les gogues elles sont là derrière. Quand t'auras fini on montera voir si Marie est là et on l'emmènera chez Stanley. J'ai pas envie de faire cet article de toute façon. »

Marie était plaisante à bien des égards, bien qu'un peu étrange. À cause d'un problème d'audition ou d'inattention elle n'entendait jamais rien du premier coup. « Quoi ? » disait-elle. « Qu'est-ce qu'il y a ? » Elle emmena Norwood se promener aux Cloîtres et deux fois sur le ferry de Staten Island, toujours vêtue du même chemisier ample en soie orange. Elle ne travaillait nulle part et ne semblait avoir aucun ami. Elle ne faisait rien. Une fois sur le bateau, Norwood passa un bras autour de sa taille, elle le retira et lui dit d'arrêter de se croire tout permis et qu'elle lui ferait signe quand elle serait prête à se faire « peloter ». Il essaya à nouveau le jour suivant mais elle n'était toujours pas prête. Dans son appartement ils jouèrent des duos, avec Norwood à la guitare, et ils chantèrent des chansons folks.

« T'aimes pas vraiment la folk, hein ? dit-elle.

– Ça va, répondit-il. Mais j'aime mieux les chansons d'amour modernes. »

Marie était en licence de communication à Northwestern et une nuit elle lui lut à haute voix des passages de son livre préféré, un bouquin qui s'appelait *Le Prophète*. Norwood l'écouta en se coupant les ongles. Elle lui faisait à manger et semblait apprécier sa compagnie, mais du côté de la gaudriole ça restait le calme plat. Toutes les nuits il déambulait jusqu'en bas et dormait sur le canapé de Heineman. Il était rêche et grumeleux et lui laissait des gaufrages rouges sur le visage et les mains. Il était aussi trop petit. Le quatrième jour il se leva et s'écroula sur le sol. Il avait les deux jambes mortes. Une fois la circulation revenue, il monta à l'étage et annonça à Marie qu'il partait. Elle dit : « Quoi ? » et il répéta :

« Je disais que je m'en vais.

– Ah, tu t'en vas.

– Ouais, je dois reprendre la route.

– Ah. Bon. Faudra que tu m'écrives une belle lettre de Shreveport.

– Ouais, faudra.

– Pour me raconter le programme et tout ça.

– D'accord.

– Bon. Bonne chance, Norwood.

– Ça roule, prends soin de toi, à la prochaine. »

Il marcha jusqu'à Union Square sous un fin crachin et s'arrêta dans une cafétéria automatisée où il prit un plat de haricots à la sauce tomate avec une saucisse. C'était ce qu'il avait trouvé de meilleur à manger à New York et, sans conteste, de moins cher. L'endroit était plein de clodos trempés qui sentaient la serviette rance et il dut attendre qu'un siège se libère. Quand quelqu'un se leva enfin, il se précipita sur sa place et s'assit. Il réalisa alors qu'il avait oublié ses couverts. Pour marquer son territoire il laissa son plat de haricots posé sur un numéro d'*Amazing Stories Magazine* et retourna au chariot des couverts. Alors qu'il était parti, la fille avec le chariot de vaisselle sale ramassa son assiette de haricots, et un Oriental de l'autre côté de la table récupéra le magazine. Un homme avec un bol de porridge récupéra son siège. Norwood revint et crut d'abord qu'il s'était trompé de table, puis il reconnut le Chinois. Il attrapa le magazine des mains habiles de l'étranger et se tourna vers l'homme au porridge. « C'est mon siège. » La réponse de l'homme fusa : « Je vois pas ton nom écrit dessus. » Norwood resta planté là avec son couteau, sa fourchette et sa serviette en papier.

À ce moment-là, un grand type dans un costume bleu, pas un clodo mais un genre de responsable, apparut au milieu de la pièce et commença à frapper des mains. « La pluie s'est arrêtée, là, dit-il. Tous ceux qui ne mangent pas... dehors ! » Il frappa des mains et beugla, déclenchant une bousculade résignée de pas traînant en direction de la porte. Il repéra un Norwood immobile. « Ça vaut pour toi aussi ! »

Norwood répondit : « J'avais des haricots y'a pas une minute. Vous pouvez demander à n'importe qui à cette table. Sauf lui. Il m'a piqué ma place.

– La pluie s'est arrêtée, là. Bouge !

– Je suis pas là pour regarder la pluie, mon vieux. Je suis en train de te dire que quelqu'un m'a pris ma bouffe, de la bouffe que j'avais payée au prix fort.

– Me complique pas la tâche. Dehors ! »

Un des clodos pris dans la mêlée cria depuis la porte tournante : « Hé, mais il pleut dehors ! »

Norwood posa ses lourds couverts de cantine sur la table et s'en alla. Deux heures plus tard il avait dit adieu à cette ville haineuse et filait en direction du Sud dans un grand car Trailways. Il rêvait de pois à vache noyés dans de la sauce au poivre.

Il n'y avait rien à voir le long de cette route monotone jusqu'à Washington, excepté les coudes qui sortaient des voitures en contrebas des fenêtres du car. Il lut son magazine. Il somnola un moment. Installé sur le siège derrière lui, il entendit un célèbre athlète désormais contraint de voyager en autocar dire : « Les nègres ont mis la main sur tous les sports sauf la natation. C'est parce qu'ils savent pas nager. »

Ils firent une escale à Washington, un changement de bus et un nouveau conducteur. C'était un gros type jovial avec sa casquette posée sur l'arrière du crâne. Et bien que le panneau indiquait de NE PAS PARLER AU CONDUCTEUR, il se mit à faire des blagues et à discuter avec les passagers. Norwood voulut en être et alla à l'avant pour dénicher une place mais elles étaient toutes prises. Peut-être plus tard. Il avait deux sièges pour lui dans le fond. Il enleva sa guitare et mit ses pieds sur un des sièges, s'asseyant en travers.

L'obscurité tomba et une lune basse et blanche filait à côté du bus juste derrière les cimes ébouriffées des pins de Virginie. Avec son chapeau, Norwood s'était calé la tête entre le siège et la vitre. Il regardait la lune et la faisait monter et descendre en fermant un œil, puis l'autre. *Clair de lune entre les pins… comme c'était divin…* Comment est-ce que les gens font pour écrire des chansons, d'ailleurs ?… *Clair de lune entre les pins… dans ce cœur qui est le mien… comme c'était divin… tes lèvres douces comme le vin… clair de lune sur la route… clair de lune sur le bus… clair de lune sur le chemin… Un film Republic… Hé Gabby, la veuve te cherchait. Argh, damnation, Roy. Roy et Dale et les Sons of the Pioneers se payent la tête de Gabby. Le vrai nom de Roy* c'était Leonard Slye…

Le bus ralentit, se rangea sur le bas-côté et s'arrêta sur la bande d'arrêt d'urgence. Une fille tenant une lampe torche, un sac de courses plein d'habits et une petite valise bleu et blanc grimpa, bavardant et se prenant les pieds dans le fil d'un appareil enfoui dans son sac. Elle serait tombée si le conducteur, le gras et courtois J. T. Spears, n'avait pas sauté de son siège pour la rattraper.

« Vous z'aviez pas besoin de courir comme ça, ma petite dame, dit-il, j'vous avais bien vue venir. »

Elle était à bout de souffle. « Je pensais bien avoir tout le temps du monde. J'me suis prise à discuter sur le porche et puis j'ai vu vos lumières jaunes par-dessus la colline et j'ai cavalé jusqu'ici. Ils étaient tous rigolards, à me crier : "Cours, Rita Lee, cours" et puis voilà que le fil de mon sèche-cheveux se fait la malle… »

C'était une bien jolie fille, les cheveux noirs et courts, avec une frange et des lunettes papillon incrustées de bijoux. Un peu maigre des jambes mais pas trop quand même. Elle portait une robe jaune vif avec une marguerite blanche sur un des côtés.

Norwood se leva de son siège, les épaules courbées, et essaya de faire comprendre qu'il était quelqu'un de sympathique et qu'il avait une place pour elle dans le fond. Elle descendit l'allée et s'arrêta à son niveau. Il rangea ses affaires dans le compartiment bagages au-dessus et elle l'en remercia et s'assit sur le siège devant lui, à côté d'une femme aux cheveux bleus.

Elles sympathisèrent vite, la femme et Rita Lee, et commencèrent aussitôt à échanger des confidences. La femme était une assistante dentaire de Richmond qui fêtait tout juste ses vingt ans de carrière et revenait pour l'occasion de Washington, où elle était allée voir comment on fabriquait les lois. C'était sa première visite au Congrès. « Les gens qui vivent juste à côté de quelque chose, ils en ont souvent rien à faire, dit-elle. Je parie que si je vivais au Grand Canyon j'irais pas le voir tous les jours. Alors que d'autres feraient des milliers de kilomètres pour le voir. » Son mari avait disparu deux ans plus tôt avant d'être retrouvé, travaillant comme matelot première classe sur une barge de transport de soufre, grâce à une carte postale de mauvais goût qu'il lui avait envoyée depuis Algiers, Louisiane. Il était désormais de retour à la maison, même s'il buvait et dormait dans le garage.

Rita Lee venait de rendre visite à sa grand-mère et quelques cousins en Virginie. Elle était originaire de la région de Swainsboro, Georgie, et faisait maintenant route vers Jacksonville, Caroline du Nord, pour aller mettre les choses au clair avec un type prénommé Wayne à Camp Lejeune. Bien qu'elle ne portât pas d'alliance – elle n'avait pas voulu l'embêter avec ça – ils s'étaient tous deux mis d'accord depuis plus d'un an et elle voulait savoir ce qu'il en était. Cela faisait presque deux mois qu'ils n'avaient échangé aucune lettre.

« C'est un officier ? dit la femme.

– Ah ça, en voilà une bonne, dit Rita Lee. Dieu non, il est caporal dans les 2ᵉ Marines. »

Norwood glissa sa tête entre les deux sièges. « Vous entendez quoi par là, le 2ᵉ Marines ou bien la 2ᵉ division de Marine ? » demanda-t-il.

Elles levèrent la tête vers lui.

« Quand vous dites Marines vous parlez d'un régiment. Si vous voulez parler d'une division il faut dire division. Bien sûr il peut être dans les 2ᵉ Marines ou dans la 2ᵉ division de Marine, je dis pas. Mais il est p't'être bien aussi dans le 6ᵉ ou le 8ᵉ Marines et quand même dans la 2ᵉ division. C'est tout c'que je veux dire.

– Je sais pas ce que c'est, comme ça de mémoire, dit Rita

Lee. Faudrait que je regarde sur une enveloppe. Tout ce que je sais c'est que là-bas il conduit un tank, dans la 2ᵉ Marines je sais pas quoi.

– Y'a rien de mal à conduire un tank, dit Norwood. Gunny Crankshaw aussi faisait du tank. Ce gars-là avait une Étoile d'argent. C'est lui qu'a fait péter le portail de l'université de Séoul. Il faisait tailler ses treillis bien serrés et se pavanait avec comme un petit coq. Et pis de temps en temps il s'arrêtait et sortait son mouchoir pour taper la poussière sur ses chaussures. »

Il y eut un silence pesant. Le bus fit un écart pour éviter un gros morceau de pneu sur la route mais le heurta quand même.

« Ça c'est un type qu'a perdu un rechapé, dit Norwood. Quand ils deviennent trop chauds ça se décolle comme un rien. Tu sais jamais avec un pneu rechapé. Mais si je conduis souvent sur du gravier, je préfère quand même ça. Ça tient bien mieux. La gomme est plus dure.

– Je crois qu'on vous a assez entendu, dit l'assistante dentaire. Vous vous mêlez d'une conversation privée.

– J'essayais juste d'être amical.

– Eh bien vous allez devoir retourner au fond de votre siège. On peut pas discuter avec votre tête collée au-dessus de nous comme ça. »

À la gare routière de Richmond, Rita Lee s'acheta un Pepsi-Cola et un sachet de cacahuètes. Norwood s'installa sur le tabouret à côté d'elle et commanda un café.

« Ça baigne ?

– Ah, vous, bonjour. Dites, j'aime bien votre chapeau. » Elle versa les cacahuètes dans la bouteille, la secoua et l'approcha à trois ou quatre centimètres pour s'en faire mousser un peu dans la bouche. Les cacahuètes bouillirent dans leur tourment gazeux.

« Mes cheveux sont en piteux état.

– Je les trouve pas si mal.

– Je les avais lavés et noués comme il faut et maintenant regardez. C'est en courant après ce bus. Qu'est-ce que vous faites avec ce chapeau de cow-boy sur la tête ?

– Je croyais que vous l'aimiez bien.

– En tout cas, il est pas petit. »

Norwood touilla son café et lui parla, la tête légèrement tournée ; il savait qu'il ne serait pas capable de parler normalement s'il devait la regarder droit dans les yeux. Quelle fille d'enfer ! Il risquait même d'en tomber de son fauteuil. « C'est pas vilain comme gare routière pour un bled comme Richmond, dit-il. Vous seriez surprise de voir comme celle de New York est petite.

– Je connais une fille qu'est allée à New York et elle a trouvé un boulot de *seuhcraitèriat* aussi sec, payé quatre-vingt-quinze dollars la semaine. Elle avait été élue Reine de Beauté de la FHA* deux années de suite. Mais niveau intelligence ? Elle était pas foutue de compter jusqu'à deux.

– Ils mettent du beurre dans les sandwichs au jambon, là-bas », continua-t-il. Il mit dix cents dans le jukebox automatique et lança une compilation de Webb Pierce.

« Je sais pourquoi vous avez ce chapeau. Vous êtes chanteur vous aussi.

– Comment vous avez deviné ?

– J'ai vu votre guitare dans le bus.

– Je joue un peu ouais. » Il chercha quelque chose dans ses poches puis oublia ce qu'il était en train de chercher.

« Vous avez fait des disques ?

– C'est-à-dire, je commence juste. Je ferais p't'être presser des galettes une fois à Shreveport. » *Presser des galettes ?*

« Je suis sûre qu'un de ces jours vous serez une grande star, et vos parents seront sacrément fiers de vous. »

Il remonta sa montre.

« C'est de là où vous venez, Shreveport ?

– Nan, moi je viens de Ralph, Texas, plus bas de l'autre côté de

---

* *FHA (Future Homemakers of America) : ancienne organisation pour la promotion et l'apprentissage de l'éducation ménagère dans les écoles et lycées. Branche de la FFA (Future Farmers of America), elle organisait ses propres concours de beauté.*

Texarkana. Pas si loin que ça de Shreveport.

– Vous avez une fèmme quelque part.

– Nan.

– J'étais censée me marier en mars dernier. C'est ma faute, je lui ai dit qu'on ferait mieux d'attendre. Wayne, tu vois, il veut toujours tout faire tout de suite et une fois qu'il a un peu réfléchi il veut plus rien faire.

– C'est une vachement belle robe que t'as là.

– Merci, c'est moi qui l'ai faite. Il s'est peut-être même trouvé une fille là-bas. Ce bourreau des cœurs, toutes les filles le voulaient à l'époque mais pas question qu'elles me le prennent. Il aurait rien eu à envier à Rory Calhoun s'il avait eu le cou un peu plus large. »

Norwood faisait une pompe sur son tabouret.

« C'est quoi ton problème ? demanda-t-elle.

– Rien.

– T'arrêtes pas de bouger. »

Rien ne fut dit à ce propos mais un accord tacite fut passé : une fois de retour dans le bus ils s'assiéraient ensemble. Norwood ne tenta rien d'entrée de jeu, bien que sa gêne ait en grande partie fini par s'évaporer. Là dans la pénombre du bus, il ne voyait plus clairement son visage. Sa voix seule ne parvenait plus à le désarçonner ou à lui embrouiller le cerveau.

Ils discutèrent. Il s'approcha doucement d'elle à l'aide d'une succession de croisements de jambes et de changements de position. Très vite, son bras se retrouva sur son épaule. Pas de résistance. Il le laissa glisser un petit peu et commença à tâter légèrement la chair tendre du haut de son bras. C'était merveilleux. La manière dont il le faisait, appliquant une légère pression çà et là entre le pouce et l'index, faisait penser au geste d'une sorcière tâtant la chair dodue d'un enfant fraîchement capturé. Rita Lee était incapable de dire si elle aimait ça ou non. Elle s'était plus d'une fois retrouvée agrippée et malmenée, mais encore jamais de cette manière. Elle se raidit.

« J'avais peur de ça, dit-elle. J'avais peur qu'à la minute où j'allais m'asseoir dans ce bus tu te mettes en tête que je suis un cœur à prendre. »

Norwood n'arrêta pas et ne répondit pas non plus, il n'aimait pas qu'on attire l'attention sur ce qu'il faisait quand il faisait ce genre de choses. Il enfouit le nez dans son cou. « Je suis sérieuse », dit-elle, sans aucune fermeté. Il se racla la gorge et l'embrassa et elle se détendit, Wayne le Marine désormais loin de son esprit. Il retourna à son histoire de bras, toujours sans rien dire ni montrer que quoi que ce soit était en train de se passer.

Un moment s'écoula puis elle dit : « Norwood ?

– Quoi ?

– Dis-moi une chose.

– Quoi ?

– C'est quoi ta chanson favorite de Kitty Wells ?

– Va falloir que je réfléchisse.

– Moi c'est *Makin' Believe*.

– Ouais, moi aussi.

– Dis.

– Quoi ?

– J'aimerais bien t'entendre chanter un jour.

– D'accord.

– Pourquoi tu me chantes pas quelque chose maintenant ? J'aimerais bien t'entendre chanter quelque chose maintenant.

– Pas dans le bus.

– Tu pourrais chanter tout doucement.

– Nan, pas dans le bus.

– C'est quoi ton style de chant ?

– J'en sais rien.

– Si tu sais. Tu chantes comme qui ?

– T'as déjà entendu Lefty Frizzell chanter *I Love You a Thousand Ways* ?

– Non, j'ai même jamais entendu parler de Lefty Frizzell.

– Je pense pas que je puisse te le décrire alors.

– T'as une cicatrice là derrière sur le cou. C'est horrible. Y'a pas un cheveu qui pousse dessus.

– Je suis tombé d'un camion-citerne en Corée.

– Tu t'es battu là-bas ?

– Je suis arrivé sur la fin.

– T'as tué des gens ?

– Seulement deux à ce que j'en sais.

– Comment t'as fait ?

– Tiré dessus.

– Non mais, comment ?

– Bah, avec une mitrailleuse légère. Ils étaient devant les barbe-
lés et y'en a un qu'a déclenché une alarme fumigène. C'était juste
devant mon bunker et ils se sont simplement figés. Mon arme
était déjà sur eux, mais il a fallu me frayer un chemin en crachant
une trentaine de cartouches avant de pouvoir les aligner.

– Ils ont crié ?

– En tout cas je les ai pas entendus. Les autres ont envoyé un
paquet de mortier et quand ça s'est tassé, avec Tims, un gars de
Caroline du Sud, on est allés poser une planche sur le bazar et on
a rapporté les corps.

– Je parie qu'ils t'ont donné une médaille.

– Pour ça ? Nan. Le capiston n'était pas franchement aux anges.
Y voulait un prisonnier. Y pensait que j'aurais dû avancer avec
mon calibre 45 et leur dire "Vous êtes en état d'arrestation les
Chinetoques".

– Ils auraient dû te donner une médaille.

– On te donne pas de médailles pour des trucs comme ça. Sauf
si t'es officier. Ils se les donnent entre eux.

– Si j'avais tué quelqu'un je crois pas que j'arriverais à dormir
la nuit.

– On était là-bas pour ça.

– Je sais mais quand même.

– Ça m'a pas gêné. C'était presque pareil que de tirer sur les
écureuils. Nan, en fait c'était pas pareil parce que les écureuils, eux,
ils essayent pas de te tuer avec des gros mortiers de 120.

– J'ai encore jamais vu un mort de près, et j'en ai pas envie d'ailleurs.

– Ces deux-là ils ont eu ce qu'ils méritaient. S'ils s'étaient jetés au sol quand le fumigène s'est allumé j'aurais pas pu baisser mon arme comme il faut pour les flinguer.

– Oh arrête, mon chou, et redresse-toi un peu. Je suis à deux doigts de tomber de ce siège. »

Norwood se redressa et se cala de son côté en allumant une cigarette. Un détachement total. Ce n'était pas exactement ce que Rita Lee voulait et elle se blottit contre lui, se passant le poids mort de son bras sur les épaules.

« T'es bien plus baraqué que Wayne, dit-elle. Lui il est grand et maigrichon. Son meilleur copain dans les Marines c'est un négro. En fait, il aime la musique de négros et les blagues de négros. Il sait les imiter plutôt bien. Après qu'il a eu sa voiture lui et Otis Webb ont braqué toutes les machines à Coca du comté. Les gens se sont mis à les rentrer la nuit. Otis a dû aller en maison de correction parce qu'il avait seize ans et qu'il était négro et le juge a dit à Wayne qu'il pouvait soit aller en taule soit dans les Marines. Wayne m'a emmené dîner chez Otis une fois, et bah par terre c'était aussi propre que les T-shirts dans ton tiroir. Tu m'écoutes même pas.

– Si, je t'écoute.

– Laisse-m'en une bouffée.

– Ce Wayne m'a pas l'air terrible.

– Ça, il est souvent assez crétin, je n'ai jamais dit le contraire, mais il a bon cœur. En tout cas, moi je dis, le monde serait bien plus agréable à vivre si tout le monde était aussi gentil avec les négros que Wayne.

– Faut croire que t'es décidée à te marier avec lui.

– J'en sais rien si je vais le faire ou pas, la voilà la vérité. Je ne sais pas où je vais, j'ai le cœur dans tous les sens.

– Qu'est-ce que tu prévois de faire s'il veut pas se marier ?

– Eh bien, j'avais pensé à partir habiter chez ma sœur à Augusta et commencer une école d'esthéticienne. Elle enseigne à l'école de Coiffure de M. Lonnie. Mais elle rechigne à avoir des gens chez elle. Elle finit par bouder et ne plus dire un mot et part en claquant les portes. C'est de la pure méchanceté, voilà ce que c'est. Elle aurait besoin qu'on lui en colle une bonne, ça lui remettrait les idées en place.

– Tu pourrais venir avec moi.

– Venir avec toi et faire quoi ?

– Juste venir avec moi. Venir à Shreveport avec moi.

– Tu veux dire se marier ?

– On a pas besoin de se marier pour aller à Shreveport avec quelqu'un.

– En voilà une bonne.

– Bah c'est vrai.

– Rita Lee Chipman si, mon chou.

– Alors peut-être qu'on se mariera. Une fois à Shreveport.

– Tu le penses pas vraiment.

– Si j'te jure.

– Mais non, tu le penses pas.

– Si j'te jure. Vraiment.

– J'arrive pas à dire si c'est du sérieux ou non, Norwood. Je te connais même pas. Tu rencontres quelqu'un dans un bus et tu lui demandes de t'épouser sur le coup. Tu dois prendre mon cœur pour un jouet.

– Nan j'te jure.

– Tu me connais même pas.

– Je te connais suffisamment.

– Alors, qu'est-ce que t'aimes chez moi ?

– Eh bien, un tas de choses. J'aime ton allure.

– Je vais te dire un truc, j'aime pas qu'on se moque de moi. L'autre jour j'ai lu quelque chose sur une femme qu'était tombée amoureuse d'un beau mec, un vendeur de babioles. Il l'avait emmenée avec lui à Lewisville, Kentucky, avant de filer et de la laisser en plan dans un petit motel avec une piscine dans la cour. Elle connaissait pas un chat à Lewisville. Et elle avait à peine de quoi se changer. Elle tournait dans les rues en se disant que quelqu'un n'allait pas tarder à se pointer et à lui tomber dessus.

– Elle a profité un peu de la piscine au moins ?

– Une bonne femme du tribunal est venue la chercher et l'a mise dans un foyer. Apparemment, c'est de là qu'elle a écrit l'histoire.

– En tout cas, moi je t'ai dit ce que je ferais.

– Faudrait que je le dise à Wayne.

– Tu peux lui écrire une carte.

– Ça ne serait pas correct. De toute façon je vais devoir aller là-bas et lui parler.

– Tu veux que je vienne avec toi ?

– Tu devrais surtout faire ce que t'as envie de faire.

– Je vais venir avec toi alors.

– Je me demandais si c'est ce que t'allais répondre.

– C'est là où ton vendeur de babioles se serait tiré.

– Norwood, je crois que je suis en train de tomber amoureuse de toi. Si tu étais malade je prendrais soin de toi et je te donnerais le bain.

– Ouais, mais parle pas si fort.

– Je me demande si tu m'aimes vraiment. Tu m'aimes ?

– Ouais.

– Tu penses que tu peux me le dire ?

– Je le ferais. Mais pas dans le bus.

– Si ça te dérange pas de le dire dans une chanson, pourquoi tu peux pas le dire là ?

– Une chanson c'est différent. T'es jamais qu'en train de chanter.

– C'est pas dur à dire pour les gens qui sont vraiment sincères.

– Ça l'est si on essaye de te forcer. C'est comme on dit : c'est quand quelqu'un veut à tout prix te faire sauter par-dessus le bâton que tu te mets à reculer. »

Ils atteignirent Jacksonville au petit matin. Le soleil n'était pas encore chaud mais il brillait déjà trop fort pour leurs yeux ensablés. Environ une dizaine de Marines en treillis lâches et cirage usé faisaient le pied de grue dans la gare en attendant le dernier bus pour les ramener à la liberté. On pouvait lire la lassitude et le dégoût sur leurs visages, comme sur ceux de jeunes hommes gênés par des caleçons qui remonteraient un peu trop haut. Dehors, un policier municipal et un policier militaire étaient assis ensemble dans une voiture de patrouille, avachis en silence sur la banquette, trop las ou trop fatigués pour même prendre un air méchant. À l'intérieur de la gare, sur un banc, des poussins de vente par correspondance piaulaient dans une boîte perforée. Des poussins bon marché. Aucune garantie sur le sexe, la race ou la couleur. Quelqu'un avait-il déjà reçu cinquante petits coqs ? Norwood et Rita Lee traversèrent la gare jusqu'au café où ils prirent un mauvais petit déjeuner.

Rita Lee était d'une humeur massacrante. Elle avait les joues rouges après s'être autant frotté le nez contre Norwood, et les avait frictionnées avec un peu de Noxzema. Norwood fit une remarque sur l'odeur de cette célèbre crème médicamenteuse.

« Peut-être que si tu te rasais un peu, j'aurais pas à en mettre, dit-elle.

– J'ai pas une barbe si drue que ça.

– Alors qu'est-ce qui est arrivé à mon visage ?

– J'en sais rien, mais je peux bien utiliser un Gillette normal au moins cinq fois avant qu'il s'émousse. »

La serveuse était à l'autre bout du comptoir en train de remplir les flacons de miel à la louche. « Hé Rouquin, appela-t-elle. Le vôtre là, il est plein ?

– Ouais, ça va, dit Norwood. Et puis on est déjà assez mielleux comme ça. » Cette saillie fit glousser la serveuse.

« Peut-être que c'est avec elle que tu préférerais aller à Shreveport ? dit Rita Lee.

– Elle a pas assez de peau sur les os », répondit-il.

L'idée de Norwood était de passer par les canaux officiels, d'appeler la réception de la base ou bien l'officier du jour, et de faire envoyer ce Wayne dans la bonne salle de visite au bon moment. C'était assurément la meilleure façon de procéder. Rita Lee n'aimait pas cette idée en ce qu'elle allait alerter Wayne et lui donner assez de temps pour se cacher ou s'enfuir. Son plan était simplement d'y aller, de le trouver et d'apparaître tout à coup à côté de lui. Norwood était tout bonnement incapable de lui faire comprendre qu'il s'agissait là d'un raisonnement irréaliste.

Oui mais, c'était comme ça qu'elle voulait s'y prendre. Et puis finalement elle ne voulait plus qu'il l'accompagne. Trois points d'exclamation apparurent au-dessus de la tête de Norwood. Non, elle avait pris sa décision. Il pouvait l'attendre ici, en ville, s'il en avait envie. Elle reviendrait quand elle reviendrait.

« À quelle heure ? dit-il.

– Qu'est-ce que j'en sais ? Et puis pourquoi ? Tu prévois de partir ?

– Nan. Je me demandais juste. Pour que je puisse être là.

– Pas la moindre idée du temps que ça me prendra.

– Tu devrais pouvoir être de retour pour le dîner, tu crois pas ?

– Je peux pas te dire, parce que j'en sais rien.

– Bon, je t'attendrai dans le coin, vers treize heures.

– Je me demande si tu seras vraiment là.

– Ça, moi je sais que je serai là. Alors occupe-toi de toi. »

Quand la navette recula pour sortir, Norwood lui fit au revoir d'un geste du doigt. Elle le regarda mais ne lui renvoya pas son geste. Il fixa le bus jusqu'à ce qu'il disparaisse.

Elle n'allait pas revenir, et il avait perdu une journée et 4,65 dollars à changer son ticket. *Prendre soin de lui et lui donner le bain !* Il attendrait jusqu'à treize heures mais pas après. Il partirait avec le premier bus.

Il se promena en ville, le long de la rue principale, mais rien ne semblait ouvert. La salle de jeux avait fermé son rideau de fer. Un grand gamin noir aux longs bras passait la raclette sur les vitrines du Walmart, qui organisait des soldes autour du thème, *La Grande Récolte des Prix.* Les bonnes affaires débordaient d'une grosse corne d'abondance peinte à la feuille d'or et avaient été artistiquement placées au milieu d'une petite tonne de bonbons. Norwood eut l'œil attiré par les T-shirts en coton doux extrafin avec tour de cou renforcé, à 1,29 dollar les trois.

« Ils tiennent ces T-shirts ? »

– *Kwa* ? dit le gamin à la raclette.

– Les T-shirts avec l'offre là, est-ce qu'ils rétrécissent une fois passés au lavage ?

– *Bahouai*, ça rétrécit toujours au moins un peu.

– C'est pas une mauvaise affaire. Je reviendrai peut-être me prendre une demi-douzaine de ces p'tits gars. Je suis toujours en manque de T-shirts.

– T'as pas tort *t'sais kwa* ? On *nena* jamais trop. »

Un peu plus bas dans la rue Norwood s'arrêta devant une quincaillerie. Il voulut aller plonger ses doigts dans les sacs de graines de navet, jeter un œil aux couteaux, et voir à combien étaient les cartouches de fusil en Caroline du Nord. Il secoua la porte mais elle était verrouillée. Pareil pour le magasin de meubles juste à côté. Sur la porte, de l'autre côté de la vitre, on avait glissé une carte blanche disant d'appeler R. T. Baker en cas d'urgence et un numéro de téléphone. *Allô, Baker ? Désolé de te déranger chez toi mais il me faut une chaise là tout de suite.* Il y avait un studio de tatouage et Norwood regarda les échantillons poussiéreux dans la vitrine. Il avait lui-même une panthère noire à 32,50 dollars qui lui envahissait toute l'épaule gauche, crocs sortis, marquant son bras de petites griffures rouges. Il n'en avait jamais été content. Pas parce que c'était un tatouage et qu'un tatouage était impossible à enlever – et alors ? – mais parce que ce n'était pas une belle panthère. Il y avait quelque chose dans ses yeux, ils n'étaient pas tout à fait ouverts, et le gros chat avait plutôt l'air d'être en train de bâiller que de rugir. Norwood s'était plaint à l'époque et le tatoueur à San Diego lui avait dit qu'il ne ressemblerait plus à ça dès que les croûtes auraient cicatrisé. Une fois, en Corée, il s'était installé avec des allumettes et une épingle et avait essayé d'arranger les yeux, mais n'avait réussi qu'à aggraver les choses. Souvent il s'était imaginé avoir, à la place, un petit globe et une ancre avec une bannière ondulant en dessous qui dirait *U.S. Marines – Premiers à se battre.* Avoir plus d'un tatouage était irresponsable.

La chaleur s'installa et les quartiers blancs laissèrent bientôt la place aux quartiers noirs. Norwood entendit du bruit dans un des bars et poussa la porte qui s'ouvrit. Dedans, une femme noire était debout sur une chaise et peignait au rouleau le mur d'un rose poudré. « Hé le chapeau, on est fermé, dit-elle.

– Ah ouais ?

– C'est zone interdite pour toi en tout cas.

– Y'a rien qu'est zone interdite pour moi. Je suis même pas dans l'armée.

– Fais rentrer tous les civils, Ernestine, dit une drôle de voix caquetante. Tous sauf un. »

Norwood était déjà à l'intérieur. Un grand ventilateur à la fenêtre soufflait l'air chaud à travers la pièce. La femme descendit de la chaise en grommelant, s'avança vers la porte et la verrouilla d'un air excédé. « T'es le dernier à rentrer tant que j'ai pas fini de ripoliner ce mur, peu importe qui se pointe. Et j'espère que tu sors pas de taule non plus. »

L'homme à la drôle de voix était un nain d'un âge indiscernable. Il était assis, jambes croisées, à l'extrémité de la piste de bowling. Il avait sur le visage l'air las et irritable d'un Sydney Greenstreet. Il portait un costume en seersucker, un nœud papillon noir défait et, aux pieds, des brogues noir et blanc. « Tu peux te remettre à la tâche, Lily, dit-il. Je vais garder un œil sur ce jeune homme. » Il avait l'air d'être saoul, ou du moins éméché.

Norwood prit une canette de bière dans la glacière verte, qui n'était rien de plus qu'une vieille caisse de Dr Pepper avec un gros morceau de glace dedans et de l'eau froide rouillée qui lui fit mal à la main. *Ne pas s'asseoir sur la caisse à boissons* disait un écriteau rédigé à la main et scotché sur le côté. Un autre sur le mur derrière le comptoir – acheté, celui-là – disait, SI LA POSTE ACCEPTE DE VOUS FAIRE CRÉDIT ALORS NOUS AUSSI. Norwood s'appuya sur la caisse et but sa bière. Elle était fraîche et bonne.

« Tu me dévisages, l'andouille ? » dit le nain.

Norwood détourna les yeux et regarda la peinture se faire étaler.

« C'est très malpoli, tu sais. Non, tu sais sûrement pas…

Dis-moi, c'est quoi ton QI ? Je serais intéressé de le connaître ce chiffre-là. T'en as aucune idée, hein ? Non, bien sûr, question idiote. »

Norwood se retourna vers lui. « J'ai eu cent vingt-cinq aux tests psychotechniques de l'armée, nabot. Tout ce qu'ils demandent pour être EOR c'est un cent vingt. Moi je dis, c'est un sacré bon score.

– Oh, il s'énerve. Alors j'exige de savoir ton nom.

– Ouais, eh bah je veux savoir le tien d'abord.

– Je vois. Alors c'est comme ça. J'imagine que tu n'as jamais entendu parler de Edmund B. Ratner, le plus petit homme parfaitement proportionné au monde ?

– Ça me dit rien, nan.

– C'est bien dommage. » Il secoua sa canette. « Regarde donc, celle-là est vide. Sois gentil et va me chercher une grande Bud. J'ai le pied endormi. »

Norwood le regarda un moment, puis attrapa une bière dans la glacière et la lui apporta. « Tu es trop bon, dit le petit homme. Assieds-toi, assieds-toi. À la santé de ton merveilleux pays. » Il prit une longue gorgée de sa canette. Norwood s'assit à une table. L'homme fit gonfler son ventre et le claqua des deux mains. C'était un bide d'une certaine ampleur. « Dégoûtant, n'est-ce pas, dit-il. Je t'ai menti il y a une minute. Je ne suis pas vraiment le plus petit homme parfaitement proportionné au monde. Plus maintenant. Mais tout me porte à croire que je suis en revanche le plus petit homme bedonnant et parfaitement proportionné au monde.

– Eh bien, moi j'ai pas vraiment eu cent vingt-cinq à mes tests psychotechniques non plus.

– C'est très bien. Tu es un personnage bien plus intéressant que je ne l'avais cru.

– T'es pas du coin, pas vrai ?

– Grand Dieu non. Je suis dans le showbiz.

– Je m'disais bien que tu devais être dans un cirque.

– C'est ça, des petits gars rigolos cabriolant sous le grand chapiteau. Tu crois que tous les nains travaillent dans des cirques ?

– Toi je pensais, oui.

– C'est pas entièrement faux, j'y ai travaillé. Dans les meilleurs en plus. Le cirque d'Hiver, le cirque d'État de Moscou, les Frères Ringling. Les autres ne valent rien. Mais la triste vérité, mon cher ami, c'est que je suis désormais sur la pente descendante.

– Moi aussi j'essaye d'entrer dans le show-business, dans la musique de plouc. Sûrement que t'aimes pas ça.

– Si, bien au contraire. Parfois. Hank quelque chose... ?

– Hank Williams ?

– Non.

– Hank Thompson ?

– Non.

– Hank Locklin ?

– Non.

– Hank Snow ?

– C'est ça, Hank Snow... *cause I got a pretty mama in Tennessee and I'm movin' on, I'll soon be gone...* À une époque j'ai vécu dans une caravane avec un forain, un homme à l'héroïsme dépravé, qui jouait ce disque *ad nauseam*, sans jamais s'en lasser. L'alcool ne lui réussissait pas. Un cas désespéré. Toujours à s'endormir une cigarette à la bouche et à faire flamber ses couvertures. Enfin, elles ne demandaient qu'à flamber je suppose, mais je ne voulais pas avoir affaire à ça. Vivre avec un pyromane ? C'était hors de question. Cet homme était une épave.

– Hank Snow il vient du Canada. *The Singing Ranger.*

– Alors quoi, tu vas jouer dans des clubs ici ?

– Je suis même encore jamais monté sur une scène. J'essaye de me lancer.

– Ah, t'y arriveras. Accroche-toi. C'est une question de temps, c'est tout.

– J'espère bien.

– Aucun doute là-dessus. C'est assez amusant d'ailleurs, que nos chemins se croisent ainsi. Toi en pleine ascension et moi sur la pente descendante. Deux courbes sur un graphique qui finissent par se croiser… ici. Allons, c'est un peu fantasque, je vois bien que j'ai trop bu. Mais je ne suis pas un de ces ivrognes volubiles et sentimentaux, ne t'en fais donc pas pour ça. Ceux-là font de leur vie un drame, comme si quelqu'un en avait quelque chose à faire. Non, je suis seul depuis mon enfance. Mon père m'a vendu alors que je n'étais qu'un gamin.

– T'a vendu ?

– Oui.

– Je le crois pas.

– Mais si, c'est bien vrai. Il m'a vendu à un homme du nom de Curly Hill. Une période horrible ! Mon père, Solomon Ratner, n'était pas un mauvais bougre mais il n'était, après tout, qu'un jeune employé de la société des chemins de fer avec une bouche en trop à nourrir. Imagine alors, un nain à la maison ! Enfin, Curly est arrivé en ville avec un cirque d'animaux – il faisait le tour des foires. Il m'a aperçu à la gare et m'a demandé si je voulais porter un costume de cow-boy et chevaucher un lévrier irlandais. Il avait un chimpanzé du nom de Bob qui faisait ça à l'époque. Je l'ai envoyé voir mon père et ils ont trouvé un accord. Je n'ai jamais connu le prix mais j'imagine que ça devait avoisiner les vingt livres sterling, peut-être plus. Alors, comprends bien, je ne m'attarde pas là-dessus. Curly fut comme un second père pour moi. Un homme respectable et plein d'humour. Et de bonne famille. Sa mère était la plus vieille infirmière du Royaume-Uni. Je l'ai vue une fois, on aurait dit une momie, la pauvre. La livre sterling valait cinq dollars à l'époque.

– T'es avec un cirque là ?

– Non, non, je croyais te l'avoir dit, j'ai arrêté le cirque. C'était un milieu tout à fait idiot. J'ai laissé mon appétit filer avec moi. Je ne peux pas l'expliquer, il va et vient. Pizzas, tranches épaisses de pastrami, hot-dogs au chili… rien n'était trop dégoûtant et je n'en avais tout simplement jamais assez. Une glande qui me jouait des tours. J'ai grandi de dix centimètres et pris douze kilos. Eh bien le résultat fut qu'ils me retirèrent mon titre de "plus petit homme parfaitement proportionné au monde" et qu'ils le donnèrent à un petit imbécile qui se faisait appeler Billy le Bourdon. Non mais franchement ! Billy le Bourdon ! Tous ses doigts de main ressemblent à des doigts de pied. Il va sans dire que j'étais furieux et que j'ai prononcé des mots regrettables à l'encontre du patron. Tout ça pour dire que, j'ai fini par me faire virer.

– C'est des vraies petites mains que t'as là.

– Évidemment que c'en est.

– Si t'étais dehors, avec rien autour de toi, dans un désert par exemple, et que je me mettais à marcher vers toi, je te rentrerais dedans parce que je penserais que t'es beaucoup plus loin qu'en vrai.

– Je ne l'avais encore jamais entendu dit comme ça. Enfin, c'est une question d'échelle tout ça. Je ne suis pas un nain, tu sais.

– Peut-être que t'aimes pas trop en parler.

– Non, ça va, je ne suis pas du tout susceptible. Cela dit je déteste quand les gens en profitent pour en faire une insulte, "nabot, avorton". Ça m'agace.

– Tu fais quoi maintenant ?

– Qu'est-ce que je fais. Bonne question. Je vais devoir répondre rien du tout. J'ai habité à New York ces deux dernières années. Fait l'ouverture de supermarchés, tu sais, en cow-boy de série B. J'ai été lapin de Pâques pour Macy's et farfadet dans la parade de la St-Patrick. Ce genre de choses. Une horreur ! Je pensais avoir touché le fond. Et puis le mois dernier mon agent m'a persuadé d'intégrer une troupe USO de soutien à l'armée comme faire-valoir, pour un comique tout à fait insupportable. Je suis sûr que tu n'as jamais entendu de blagues aussi obscènes et embarrassantes de toute ta vie. Il a de tout petits yeux brillants de porc, qui respirent la méchanceté. Vraiment un homme exécrable avec qui travailler. Après notre représentation d'hier soir sur la base des Marines du coin, nous étions sur la route pour rentrer en ville, et à chaque fois qu'il disait quelque chose je lui répondais par "Oui, M. Billes de Porc" ou "Non, M. Billes de Porc" ou "Tiens donc, M. Billes de Porc ?". Il m'a flanqué une claque au visage – il ne m'a pas envoyé un coup de poing – il m'a claqué et j'ai donné ma démission aussitôt et demandé à mon agent de m'envoyer de quoi prendre un billet de train pour la côte. J'espère trouver du travail à la télévision.

– T'as passé la soirée ici à boire ?

– Eh bien, non, pas ici. Dans ma chambre à l'hôtel. J'étais là-bas à boire du gin et du Seven Up et à faire les cent pas en essayant de lire un livre de poche mais j'étais bien trop contrarié pour réussir à m'y intéresser. Quand tout le gin fut fini je suis sorti prendre l'air et cette dame de couleur, Lily, Dieu la bénisse, fut assez aimable pour me laisser entrer. J'attends toujours mon mandat postal. »

Ils burent d'autres bières et mangèrent des œufs durs et des cornichons. Edmund montra à Norwood des coupures de journaux, une ou deux plastifiées, et quelques photos. Il y avait une photo de lui et de son Curly bien-aimé entourés de chiens, et une de lui avec une femme naine, tous les deux coiffés de chapeaux en fourrure, debout devant le Kremlin. « J'ai détesté la Russie, dit-il. Un endroit si morne ! Mais je dois dire, en toute honnêteté, que les nains y sont exempts d'impôts. Ne me demande pas pourquoi. Une des lubies de Staline, je suppose. » Il avait aussi un jeu de cartes miniatures et il lui fit une démonstration d'un mélange royal. Norwood lui parla de son voyage, de ses projets, et qu'il était en train d'attendre Rita Lee.

« J'imagine que tu dois trouver ça idiot.

– Pas du tout, dit Edmund. Ça dépend surtout de la fille, n'est-ce pas ? Est-ce que tu l'aimes ?

– Eh bien, ouais.

– Alors il n'y a rien d'autre à ajouter. Pour moi c'est très simple, il faut l'épouser. Tout le monde devrait se marier, surtout dans un pays aussi vaste et solitaire que le nôtre. Je dis cela parce que j'ai moi-même été marié.

– Si elle se pointe.

– On a passé trois belles années ensemble. Elle était lituanienne. Une fille aux cheveux clairs, une petite perle de la Baltique. Elle raffolait de babeurre. Tout ça prit fin comme ces choses-là le font toujours, mais nous avons néanmoins eu ces trois belles années. Quels souvenirs ! Elle m'a quitté pour mon bon ami, Laszlo le Cycliste. Ou du moins je le croyais mon ami. C'était très mesquin ce qu'ils m'avaient réservé là. Laszlo a prétexté un intérêt pour les dominos – c'est mon jeu – ce qui lui a donné accès à nos quartiers, et de belles opportunités. Le début de la fin. Peut-être étais-je partiellement coupable, difficile à dire. J'ai mes humeurs. Enfin, après coup il est venu me voir et m'a dit : "J'espère que tu n'es pas fâché." Le culot chez celui-là ! Je lui ai dit : "Non, Laszlo, je ne suis pas fâché, mais je suis blessé. Tu aurais pu m'en parler, tu sais. Nous ne pouvons plus être amis à présent." J'ai été très sec avec lui. »

Un stand de barbecue était installé de l'autre côté de la rue et Norwood voulait manger des côtes de porc mais Edmund insista pour retourner à l'hôtel, parce qu'il avait hâte de voir où en était l'argent. Et puis, dit-il, il avait son « siège » dans la salle à manger de l'hôtel. Il renoua son nœud papillon sans l'aide d'un miroir, enfila un canotier brun avec une bande de couleur, et ils descendirent la rue d'un pas nonchalant sous le soleil de midi, cette étrange paire, Norwood prenant garde à ralentir son allure habituelle.

L'argent était arrivé. L'employé d'accueil de l'hôtel donna l'avis à Edmund et lui dit qu'il lui faudrait retirer lui-même l'argent au bureau de la Western Union.

« Très bien, dit Edmund. Mais je pense que Norwood et moi devrions avant tout prendre notre déjeuner. Pouvez-vous nous recommander quelque chose ?

– Le pain de viande est pas mauvais.

– Magnifique. »

Edmund prit une salade diététique à la poire, de la soupe à l'oignon avec croûtons, du pain de viande, des aubergines frites et une tourte aux mûres avec de la crème fouettée. Il était assis en hauteur sur son rehausseur rembourré. C'était le genre de siège qu'on utilisait sur les chaises de barbier pour surélever les petits garçons, sauf que celui d'Edmund était un modèle pliable sur mesure. Norwood prit un cheeseburger DeLuxe. La nourriture était bonne et ils mangèrent sans parler. Un rire sortait de temps en temps d'une pièce adjacente où les membres du Rotary Club local écoutaient un discours.

Peu après, au milieu d'un silence pensif, Norwood dit : « C'est quoi le plus que tu te sois fait en tant que nain ?

– Net ou brut ?

– Le premier.

– Deux cent soixante-quinze la semaine.

– Putain.

– Je pensais que ça durerait éternellement.

– C'est un paquet d'argent par semaine.

– Je n'en ai pas mis un centime de côté.

– Comment était le pain de viande ?

– Très bon. C'était pas le civet de lièvre de chez Rules mais c'était très bon. La tourte était excellente. Tu ne prends pas le train, n'est-ce pas ?

– Le bus.

– Jusqu'où ?

– Eh bien, jusqu'à Memphis pour commencer.

– Tu sais si le bus a un toit panoramique ?

– J'imagine que ça sera juste un bus normal.

– Eh bien, écoute, je ne sais pas tout à fait comment te présenter cela, mais c'est-à-dire que j'ai une certaine appréhension sur le fait de traverser les États-Unis tout seul. C'est idiot, j'en ai conscience. C'est un pays civilisé, tout ça. Mais vois-tu, j'ai déjà eu une mauvaise expérience à Orange, New Jersey. J'étais tout seul. Ça aurait pu arriver n'importe où, bien sûr. De méchants garçons, voilà tout. C'est des choses qui arrivent. Mais voilà où je veux en venir : est-ce que ton amie et toi-même m'en voudriez terriblement si je vous accompagnais ? Enfin, au moins jusqu'à Memphis ?

– Ouais, ça serait sympa de t'avoir. La seule chose, c'est que je sais pas quand on va partir. J'vais peut-être devoir aller à la base pour la récupérer.

– C'est une fâcheuse intrusion, j'en suis conscient. Mais malgré tout, j'ai pensé, mieux vaut que toi tu sois dérangé plutôt que moi terrifié. Je ne vous gênerai pas. Fais-moi confiance là-dessus. Je me rends bien compte que trois c'est déjà trop.

– Enfin, pas vraiment, pas dans un bus en tout cas.

– C'est très gentil de ta part. J'ai bien sur moi un stylo-plume à gaz lacrymogène mais je ne peux pas dire que cela me rassure beaucoup. Je suis certain qu'il me claquera entre les mains au moment fatidique. Et c'est le genre de choses qui pourrait rendre une brute encore plus furax. »

Le préposé au guichet de la Western Union donna du fil à retordre à Edmund après que celui-ci lui avait donné une mauvaise estimation du montant du mandat postal et que le nom écrit sur le virement se trouva en fait être *Batner*. Edmund avait demandé deux cents dollars mais l'agent avait jugé préférable d'en envoyer seulement cent, accompagnés d'un message disant PLUS D'AVANCES GROS NAIN. VOIR FARBER SUR LA CÔTE. MILT. Edmund se plongea dans une fureur théâtrale et jeta une série de cartes et de justificatifs sur le comptoir, autrement dit pour lui, en l'air sur le comptoir. L'employé suspicieux les examina un par un, affectant d'en lire tous les petits caractères. Il était assez clair qu'il voyait d'un mauvais œil les gens dont les affaires étaient si mal gérées qu'ils devaient se résigner à se faire envoyer de l'argent.

« Écoutez, monsieur, dit Edmund, regardez les probabilités. Pensez-vous qu'il soit assez probable que deux gros nains attendent des mandats postaux de New York dans ce misérable trou perdu, l'un s'appelant Edmund B. *Rat*ner et l'autre Edmund B. *Bat*ner ? Vraiment !

– On s'doit d'être prudents, l'ami. On voit des trucs sacrément bizarres dans ce milieu.

– Mais rien d'aussi bizarre, assurément.

– Si je m'plante c'est pour ma pomme, pas la tienne.

– Espèce de bureaucrate. »

L'homme s'assura qu'il n'était pas en train de se faire rouler par un gang de nains rusés et voleurs de mandats postaux et lui remit ensuite l'argent à contrecœur. Edmund récupéra ses sacs à l'hôtel et ils se mirent en route vers la gare routière. En chemin, ils furent distraits par une salle de jeux. Norwood essaya des visionneuses décevantes qui annonçaient « Beautés en Parade » et « Attention ! C'est chaud ! » et fit poinçonner son nom sur un disque en métal, puis le jeta, c'était un métal de pacotille bien trop fin à son goût. Ils tirèrent sur un ours électrique avec une carabine électrique et le firent grogner. Il n'y avait personne d'autre qu'eux dans la salle excepté la femme qui vendait les tickets. Juste en dehors de la salle, sur le trottoir, se trouvait une sorte de cage de cirque criarde. Une poule dominicaine y était emprisonnée. Elle portait sur la tête un minuscule chapeau universitaire maintenu par un élastique. La pancarte disait :

JOANN LA POULE PRODIGE
ET SON DIPLÔME UNIVERSITAIRE

POSEZ-LUI N'IMPORTE QUELLE QUESTION
EN OUI OU NON
INSÉREZ CINQ CENTS et DÉCOUVREZ
LA RÉPONSE EN DESSOUS

Joann bougeait nerveusement d'un bord à l'autre de son enclos étroit. Son plumage tacheté était tout ébouriffé autour du cou et paraissait, à d'autres endroits, humide et fatigué. Elle avait chaud. Elle avait un air dément au fond des yeux.

« Pauvre diable, dit Edmund. Je connais très bien ce qu'elle ressent. C'est criminel. »

Norwood préparait une pièce de cinq cents. « J'imagine qu'il faut lui poser la question à voix haute.

– Oui, certainement, dit Edmund. Et si j'étais toi je la poserais de la façon la plus simple qui soit. »

Norwood se pencha pour faire face au poulet. « Voilà ma question », commença-t-il, puis décida de ne pas la poser à voix haute en fin de compte. Il inséra ses cinq cents. Une lumière clignota, quelque chose bourdonna et Joann baissa la tête dans le coin et tira sur un cordon avec son bec. Encore un bourdonnement. Un morceau de papier blanc émergea d'une fente. La réponse y était imprimée à l'encre violette un peu passée. *La charité endure tout.* Norwood l'étudia, puis la montra à Edmund.

« C'est pas vraiment un oui ou un non, dit-il. J'aime pas bien ce genre de choses. Ils pourraient au moins l'éloigner du soleil. »

Norwood fit courir un ongle sur le grillage et lança des petits sifflements affectueux à Joann.

Rita Lee attendait à la gare, son visage gonflé d'avoir pleuré. « Je croyais que t'étais parti sans moi », dit-elle. Norwood s'avança pour l'embrasser, voulait l'embrasser, puis se ravisa en voyant le monde autour d'eux et tendit le bras pour lui serrer l'épaule. « Wayne est parti en Méditerranée avec la 7ᵉ flotte, continua-t-elle, pleurant alors à nouveau. Mais je m'en fichais. Je voulais aller avec toi depuis le début. J'aurais dû écouter ce que me disait mon cœur hier soir. » Elle leva des yeux embués de larmes vers Norwood et ses mains se mirent à trembler dans l'émerveillement et la magie de l'instant.

« Je crois que tu veux dire la 6ᵉ flotte, dit Norwood. La 7ᵉ flotte est dans le Pacifique. Ils ont rien à voir avec la 2ᵉ division de Marine. »

Edmund se tenait à une certaine distance et inspectait des livres sur une étagère tournante. Norwood dit : « Le nain là-bas, il vient avec nous jusqu'à Memphis. »

Rita Lee le regarda. « Tu veux dire, lui ?

– Ouais.

– Pourquoi ? C'est qui ?

– Il s'appelle Edmund et il bossait dans un cirque. Ses parents l'ont vendu. Là il va en Californie, et il est tellement petit qu'il a peur que quelqu'un lui tombe dessus sur le chemin. Sois gentille avec lui. »

Il fit les présentations. « Un plaisir, assurément, dit Edmund. J'ai entendu tant de bonnes choses sur vous. »

Rita Lee s'essuyait le visage avec un mouchoir. « Je suis désolée que vous me voyiez comme ça.

– Oh voyons, si vous me le permettez, vous avez l'air tout à fait charmante.

– C'est un chouette costume d'été, dit-elle. J'aime bien votre tenue. C'est très séduisant. On dirait un petit homme d'affaires.

– Vous êtes bien trop aimable. »

Il y avait de l'attente pour le bus. Edmund enfila ses lunettes, sortit un épais papier à lettres bleu, secoua une ou deux fois son stylo-plume – le modèle normal – et écrivit des lettres. Rita Lee et Norwood s'assirent sur les fauteuils pliants à côté de lui et se tinrent la main, serrant plus fort de temps en temps, jusqu'à ce que ça en devienne moite et inconfortable. Elle se leva et déambula, alla aux toilettes et au kiosque à journaux. Norwood parla à un homme qui lui dit que les nappes phréatiques se vidaient dans tout le pays. Rita Lee revint avec un Milky Way glacé, des romans-photos et des bandes dessinées. Elle lut un truc à propos d'un monsieur canard qui s'appelait Oncle Picsou, et de ses jeunes neveux canards, dont les aventures se passaient dans une ville où tous les passants et toutes les silhouettes dans la rue étaient des chiens anthropoïdes marchant debout. Norwood lut un truc sur Superman et la pègre à costume croisé de Metropolis. C'était une histoire de kryptonite et une bonne. Il finit le bouquin en un rien de temps, le roula et l'enfonça dans sa poche revolver. « Tu l'as déjà vu ce type à la télé ? » demanda-t-il.

Rita Lee leva des yeux excédés de son histoire de canards.

« Qui ?

– Superman.

– Ouais et je sais ce que tu vas dire, il s'est tué, le type qui jouait Superman.

– Ça a pas l'air mal du tout quand tu le lis. À la télé, j'y croyais pas une seconde.

– T'es pas censé y croire.

– T'es censé y croire un petit peu. Moi j'y croyais pas une seconde. »

Quand leur bus fut annoncé Norwood chercha partout un grand sac en papier, mais il n'en trouva aucun. Il emprunta le sac de courses de Rita Lee et tassa bien les habits à l'intérieur. « Edmund et toi prenez mes affaires, montez dans le bus et trouvez-nous une place. Je reviens de suite. » Il n'attendit pas la réponse. Il descendit rapidement la rue jusqu'à la salle de jeux, ouvrit la trappe à l'arrière de la cage de Joann, la fit sortir et la mit dans le sac. La vendeuse de ticket sortit de son stand et s'écria : « Non mais qu'est-ce que tu fais ?

– Je suis venu chercher ce poulet, dit-il.

– Ah ouais ? Et comment ça ? »

Il enroula la tête de Joann dans un fin déshabillé en nylon.

« Faut que j'lui laisse sa chance.

– Ah ouais ? »

Il retourna rapidement à la gare et monta dans le bus. Le conducteur poinçonna son ticket sans même regarder son mystérieux paquet. Norwood rejoignit le fond du bus où Rita Lee lui faisait signe et s'assit à côté d'elle. Il posa le sac au sol entre ses pieds et souleva le déshabillé, juste assez pour faire sortir la tête de Joann. Rita Lee regarda avec incompréhension. « Il y a une poule dominicaine sur mes vêtements », dit-elle. De l'autre côté de l'allée, Edmund regardait par-dessus ses lunettes. « Norwood, quel panache !

– Je veux pas de ça sur mes vêtements.

– T'aimes pas les poulets ?

– Je hais les poulets. Ils sont pleins d'acariens. C'est des bestioles dégueulasses. Ils font que foutre en l'air le jardin.

– Celui-là est entraîné, dit Edmund.

– J'en ai rien à fiche.

– Moi j'aime bien les poules, dit Norwood. Si tu vas dans un poulailler la nuit elles sont là assises sur leurs perchoirs, toutes tournées dans la même direction, comme si elles étaient sur un escalator.

– Norwood, je veux pas de ce poulet sur mes habits. T'entends ?

– J'ai de la place par ici », dit Edmund.

Norwood sortit Joann du sac et la lui passa. Edmund l'installa à côté de lui en position assise, les pattes écartées devant elle et la tête bien droite contre le dossier du siège. C'était une position extraordinaire pour un poulet mais Joann était étourdie et ramollie par toute l'excitation. Rita Lee secoua ses vêtements.

Très vite Norwood s'endormit, la bière, le repas et le mouvement l'avaient assoupi. Rita Lee et Edmund parlèrent de films d'horreur et mangèrent sans discontinuer pendant toute la traversée des Great Smoky Mountains. À chaque arrêt, le petit homme vorace descendait du bus et rapportait de nouvelles provisions de Coca, de chips de maïs et de biscuits fourrés.

Juste avant la nuit, Norwood fut tiré de sa sieste par un petit garçon en jeans beige qui faisait un tapage de tous les diables. Un tapage qui prenait la forme suivante : le garçon remontait et descendait l'allée centrale en courant et faisait des bruits de pet en écrasant son bras sur sa main qu'il avait calée en creux sous son aisselle. Norwood le fit trébucher puis le releva brusquement, le secoua et le renvoya en larmes vers sa grand-mère.

Rita Lee dit : « C'était méchant, Norwood.

– Bah, ce gamin avait dépassé les bornes.

– T'as pas assez dormi et t'es chafouin. »

Il s'étira et jeta un œil à Edmund et Joann.

« Je lui ai donné un peu d'eau dans une tasse en carton, dit Edmund. Je lui ai aussi cassé quelques cacahuètes mais elle refuse de manger. Cela dit, je crois qu'elle est en train de se raviser.

– Vous m'avez tout l'air de bien vous entendre, dit Norwood. Tu devrais l'emmener avec toi à Hollywood. La faire passer à la télévision.

– Je compte bien être assez occupé à essayer moi-même de passer à la télévision.

– Elle est maligne pour un poulet.

– Aucun doute là-dessus. Je suis sûr qu'un bon agent pourrait lui trouver quelque chose. Peut-être un petit rôle dans un film d'Erskine Caldwell.

– Norwood ? dit Rita Lee, qui frottait d'un doigt la cicatrice à l'arrière de son cou.

– Quoi ?

– Je sais quel genre de bague je veux. Elle coûte pas bien cher en plus. Elle a un diamant au milieu et deux plus petits sur les côtés avec des machins comme de la vigne vierge pour les faire tenir.

– Alors on prendra ça.

– Tu sais ce qui serait chouette ? Écoute ça. On devrait se trouver des tenues de cow-boy qui seraient toutes identiques sauf que la mienne serait pour une fille. Tu comprends, elles seraient assorties. Ensuite quand on aura un petit garçon on pourra lui en prendre une aussi. Oh ouais, et puis si c'est une petite fille je veux l'appeler Bonita. Je pourrais sûrement faire la sienne moi-même. Enfin en tout cas, comme ça on serait tous habillés pareil pour aller à l'église et tout ça.

– J'aime pas beaucoup cette idée.

– Pourquoi pas ?

– J'aime pas, c'est tout.

– T'as pas assez dormi et t'es chafouin. »

Cette nuit-là, une chouette suicidaire s'écrasa contre le pare-brise mais ne le cassa pas. Plus tard ils virent une maison ou une ferme en train de brûler au milieu d'un champ. Personne ne semblait être là pour essayer de l'éteindre. Encore plus tard, des problèmes de siège apparurent. À l'avant, un marin endormi s'assit sur un milk-shake laissé sur un siège par un enfant inconscient et fut contraint de chercher un siège propre.

Edmund se réveilla juste à temps pour l'empêcher de s'asseoir sur Joann. « Je m'excuse, dit-il, tenant sa main au-dessus d'elle, mais ce siège est occupé. »

Le marin était un maître d'équipage deuxième classe avec des dragons brodés sur ses revers de manches et beaucoup de poils aux poignets. Il regarda de plus près. « C'est un poulet, déclara-t-il. Tu peux pas réserver un siège pour un poulet. Va falloir le mettre sur le sol, mon garçon. »

Norwood attrapa le pull du marin et le retourna. « C'est pas un gamin, c'est un homme. Tu ferais mieux de te trouver des lunettes. Et t'assieds pas sur ce poulet non plus.

– Si tu crois que je vais rester debout alors qu'un poulet est assis là, n'y compte pas trop mon pote.

– Va te trouver un autre siège.

– Y'en a plus.

– Il est arrivé quoi à celui que t'avais.

– Y'a de la glace dessus, si tu veux tout savoir.

– P't'être bien que je veux tout savoir.

– Ouais, bah va te falloir de l'aide.

– Je crois pas non. »

Rita Lee avait peur. « Norwood n'a pas encore fait sa sieste, expliqua-t-elle au marin.

– On va voir ce que le chauffeur va dire de ça, continua-t-il.

– Attendez, inutile d'en arriver là, dit Edmund. Je peux très bien faire une place à Joann sur mon siège. Cessons là cette querelle. »

Memphis.

Edmund protestait à l'extérieur de la cabine téléphonique.

« Non, mais enfin, j'insiste, ce serait vraiment abuser de…

– Tais-toi et arrête une minute », dit Norwood. Il s'assit dans la cabine et ferma la porte en verre. À l'intérieur, sur la surface granuleuse et vas-y-essaye-un-peu-d'écrire-là-dessus du mur, quelqu'un

armé d'un cure-dent avait gravé L'AIR FORCE C'EST DE LA MERDE
en lettres hachées et anguleuses. Et en dessous ON MEURT POUR
VOUS LES GARS – UN PILOTE et en dessous de ça OUAIS DANS DES
ACCIDENTS DE BAGNOLE. Norwood eut l'opératrice. Elle lui dit que
ça lui coûterait vingt-cinq cents pour trois minutes.

Une femme qui parlait vite répondit.

– KWOT Radio est la station où l'on gagne.

– Allô ? dit Norwood.

– Est-ce que c'est KWOT ?

– C'est Norwood Pratt à la gare routière de Memphis.

– Vous êtes qui ?

– Je voudrais parler à Joe William Reese.

– Il est dehors, il vide les barbottes.

– Vous pouvez me le passer ?

– J'en sais rien. » Elle partit.

Norwood attendit. L'opérateur demanda une autre pièce de
vingt-cinq cents. Puis une autre. Son oreille rougit et lui chauffa la
tête. Il passa le téléphone de l'autre côté.

Puis très vite, une voix. « Allô, allô, y'a quelqu'un ?

– Joe William Reese ?

– Oui lui-même.

– Ici le premier sergent Brown au quartier général du corps des
Marines. Nous avons étudié nos comptes et il s'avérerait que nous
vous devons de l'argent.

– Ah ouais ? Combien ?

– Nos comptes disent deux mille soixante dollars.

– D'accord, c'est qui ?

– J'ai dit au commandant que vous souhaiterez très probablement les donner aux bonnes œuvres de la Marine comme vous ne
leur avez jamais rien versé de votre paye.

– Norwood. Où est-ce que t'es mon salaud ?

– Ici à Memphis, à la gare routière.

– Qu'est-ce que tu fous à Memphis ?

– Rien. Je suis de passage. Je me suis dit que je pouvais m'arrêter pour te voir. Ça fait des heures que je suis accroché à ce téléphone. Une vieille femme est allée te chercher.

– Ah. Grand-mère. Elle est pas censée répondre au téléphone. T'arrives juste à temps. On fait une friture de poisson ce soir. T'aimes les cuisses de grenouilles ?

– Pas trop, nan.

– Bah, y'aura bien assez de barbottes. T'aurais dû être avec nous hier au soir. On en a attrapé un sacré paquet. Deux lignes dormantes pleines.

– Les tortues vous ont pas bouffé tous les appâts ?

– Non, elles étaient pas très vivaces hier au soir. Elles devaient toutes être à une réunion quelque part. Écoute, j'en ai pour environ quarante-cinq minutes à venir. Tu m'attends devant l'hôtel Peabody. C'est juste en face de là où t'es.

– OK. J'ai un…

– P't'être qu'on ira craquer une pastèque plus tard, on verra bien. Et cracher les pépins sur les filles pour les faire pleurer.

– Attends une minute. Attends voir. J'ai deux personnes avec moi. C'est pas un problème si elles viennent ?

– Non, je vois pas en quoi.

– Y'a une fille.

– Pas de souci. Je la connais ?

– Nan, c'est juste une fille. On s'est rencontrés y'a deux jours. On pense peut-être à se marier une fois rentrés à la maison.

– Ah bah mince, c'est du rapide. Comment t'as fait, tu l'as trouvée dans un bus ?

– Ouais.

– Bah bien sûr, amène-la.

– Pourquoi, faut trouver sa femme à un endroit précis ?

– Non, j'imagine qu'elles sont là où tu les trouves. Les bus, les épiceries, les groupes de vétérans. Sois pas si susceptible.

– Elle est mignonne. Tu m'as encore jamais vu avec une fille aussi mignonne.

– Ça a l'air d'être une perle, Norwood. Peut-être qu'on pourra mettre quelque chose dans le journal là-dessus : *M. Pratt révèle ses plans.*

– L'autre c'est un nain.

– J'ai pas entendu.

– J'ai dit, l'autre avec moi, c'est un nain.

– Je pige pas. Tu veux dire un petit homme ?

– Ouais, enfin, il est petit c'est sûr, mais il est pas que petit, c'est un nain. Avant il bossait dans un cirque. Tu vois, quoi, un nain. Ses parents l'ont vendu.

– Mais pas à toi ?

– Nan, merde, Joe William. Ils l'ont vendu quand il était gamin. Il doit bien avoir quarante-huit ans.

– D'accord. Si tu veux. Y'a encore quelqu'un d'autre ? Des étudiants étrangers japonais ?

– Nan, c'est tout. T'as mon argent ?

– Oui, je l'ai. J'ai ton argent. Je travaille. Je voulais te l'envoyer. Je fais les mesures des champs de coton.

– C'est un boulot du gouvernement ?

– Ouais.

– Ils payent à taux fixe, non ?

– Non, c'est payé à l'heure.

– Combien ?

– Deux dollars. Soixante balles la journée, pas d'heures sup'.

– C'est pas dégueu.

– Ouais, ça va. Faut utiliser sa propre voiture.

– Ils payent l'essence ?

– Non.

– Il te faut pas un diplôme ?

– Non, pas vraiment. Il faut avoir un bâton. Y'a des sales clébards qui rappliquent de sous les maisons quand tu te pointes.

– J'ai aussi un poulet avec moi. Je l'avais oublié. T'as un endroit où le mettre ?

– Écoute, peut-être qu'en fait je devrais faire venir un bus pour ton groupe.

– Fais pas le malin. C'est pas un poulet normal. Je me baladerais pas avec un simple poulet.

– Non, je suis sûr que t'as une bonne raison de voyager avec un poulet. Mais j'arrive pas à m'imaginer laquelle.

– T'occupe, ce serait trop long à expliquer au téléphone. Elle était dans une boîte en Caroline du Nord à répondre à des questions et il faisait bien trop chaud là-dedans.

– Je vois.

– Comment va ta douce ?

– Ça va. Je crois qu'elle a enfin compris que j'étais sûrement ce qu'elle allait pouvoir trouver de mieux. »

M. Reese fit cuire le poisson dans deux poêles en métal sur un barbecue installé sous un gros noyer noir. Les noix étaient éparpillées au sol et avaient l'air de balles de baseball pourries. M. Reese était un homme élancé et soucieux vêtu d'un treillis. Il savait y faire avec les poissons, le sac de farine, et la graisse. Il ne les retournait jamais avant que ce ne soit pile le bon moment. Il discuta longuement avec Edmund d'une zone de transit qu'il avait traversée en Irlande du Nord en 1944 et lui dit qu'il avait toujours admiré les Anglais pour leur caractère de bulldog.

Le jardin s'étendait sur huit ou dix hectares, envahi par le sorgho fourrager, au milieu duquel paissaient des vaches. Des Hereford sans cornes, deux d'entre elles, enfoncées jusqu'au ventre dans une mare brune et visiblement tiède, semblaient y être à leur aise. M. Reese expliqua que le sorgho fourrager était bien plus riche en protéines que ce qu'on pouvait croire et qu'il était ainsi au cœur de son programme d'alimentation. Il était mal à l'aise et sur la défensive, et semblait craindre qu'Edmund soit secrètement amusé par ses pratiques agricoles. Afin de changer de sujet il dit :

« J'ai quatre-vingts pacaniers à coques fines que je voudrais vous montrer avant la nuit.

– J'aimerais beaucoup les voir, dit Edmund.

– Bien sûr y'a pas grand-chose à voir. C'est juste des arbres. »

Edmund s'était baigné et changé et portait maintenant un

pantalon en lin blanc et un blazer bleu marine, dont il n'arrêtait pas de brosser les peluches.

La maison était une ferme de 1928 d'un étage et demi, spacieuse et prospère, avec un toit en bardage amiante Johns-Manville (« Nos toits ne prennent jamais feu »). Le porche était tout en longueur, il se prolongeait sur la moitié d'un des flancs de la maison et comprenait deux balancelles. Kay, la gosse de riche, était assise sur l'une des deux, elle fit une place à Norwood qui lui dit ne pas aimer être assis sur une balancelle pour manger. Il n'avait en fait encore jamais essayé, mais c'était la chose à dire. Il s'assit plié en deux sur un transat, penché en avant et tenant son assiette en papier sur le sol entre ses chaussures. Il nettoya ses arêtes comme un chat, et les empila bien correctement. Il ne voulait pas que cette fille pense qu'il mangeait comme un cochon, peu importe ce qu'elle pensait déjà. Ils regardèrent Joe William démarrer dans un hurlement de poussière au volant de la Thunderbird de Kay.

« Il bousille mes pneus, dit-elle.

– Ça arrange pas ton joint de cardan non plus, dit Norwood.

– C'est quoi ça ?

– C'est le truc au bout de l'arbre de transmission. Le tien est flingué. T'entends pas ce cliquetis ? Ils graissent plus ces cardans comme ils devraient, alors forcément les petits roulements à aiguille à l'intérieur finissent par se gripper.

– Je ferais mieux de réparer ça.

– Va falloir que tu démontes tout l'arbre. *Tsé* où est la cale, celle au milieu qui tient le palier central ?

– Non, je sais pas.

– Alors là-dessous t'as deux boulons qui maintiennent la cale sur le cadre, et si tu fais pas attention tu vas te les tordre en essayant de les dévisser. Et là t'auras un sérieux problème.

– Dans ce cas je crois que je vais demander à quelqu'un de me faire ça. Je savais pas que t'étais mécanicien.

– Nan, juste mécano du dimanche. Je sais faire ce genre de choses. Mais je serais trop lent pour gagner ma vie avec.

– Prends une pâte de fruits.

– Ça ira comme ça, merci. Le poisson était bien copieux. Et j'ai jamais été très sucré.

– Joe William te doit de l'argent, hein ?

– Mmh, il m'en devait. Il m'a remboursé.

– C'était combien ?

– Soixante-dix dollars.

– J'espère bien que tu lui en prêteras plus.

– Oh t'inquiète pas pour ça, va.

– J'arrête pas de me dire qu'il va grandir un peu ou je sais pas quoi.

– Tu vas l'épouser alors ?

– Ça vient d'où ça ?

– C'est un bon gars au fond.

– J'en suis pas si sûre.

– Des tas de filles seraient heureuses de l'avoir. Il en avait une canon en Californie. Elle était folle de lui. Elle avait une voiture aussi, elle me trouvait toujours quelqu'un et on allait danser le quadrille tous ensemble à Compton. On s'amusait bien.

– Ouais, la divorcée avec le nom bizarre. Je l'ai déjà vue en photo. Elle a des gros bras. Boots ou Tuffy ou quelque chose du genre.

– Teeny.

– Je les vois bien ensemble, tiens. Elle, la poupée blonde, et lui avec son débit comique.

– Moi je la trouvais jolie. »

Mme Whichcoat raconta à Rita Lee l'histoire sur son lien de parenté avec le juge et lui dit tout sur la famille Butterfield. Elle lui raconta l'histoire de celui qui avait laissé courir une note de onze cents dollars de coco à Memphis. Qu'il avait obligé sa famille à vendre un esclave pour la payer. Et l'histoire de celui qui avait vidé les marais, et de comment il avait essayé de se faire remarquer pour faire construire une statue à son effigie sur la place, comme celle de Popeye au Texas, dans la capitale de l'épinard. Sans succès.

« Ils ont tous fichu le camp. Plus tard ils sont descendus en Louisiane, et là-bas ils se sont fait des montagnes d'argent dans je ne sais quoi, dit-elle. Mais j'ai oublié ce que c'était. Ils savaient faire de l'argent en tout cas, ça on peut bien le leur accorder. Comment vous avez trouvé le poisson ?

– Oh, c'est tellement bon, dit Rita Lee.

– Je parie que vous en avez jamais mangé d'aussi bon, là d'où vous venez.

– Ah ça non m'dame, jamais.

– C'est même pas le meilleur qu'on ait eu. C'est votre premier voyage en Arkansas, Wilma Jean ?

– Oui m'dame, mon premier, dit Rita Lee. Sans compter la Virginie, c'est le premier vrai long voyage que je fais. Je suis allée dans sept États maintenant.

– Dick Powell vient de l'Arkansas.

– Ah oui ? Je savais pas. Dick Powell.

– Tu peux même voir sept États depuis Rock City, dit M. Reese. Enfin en tout cas c'est ce que disent les autocollants sur les pare-chocs. Je serais bien incapable de te dire si c'est vrai. »

Mme Whichcoat se tourna vers Edmund. « Avez-vous déjà croisé un Dr Butterfield au pays de Galles ?

– Non, mais cela dit je ne suis jamais allé au pays de Galles, madame. Sauf si vous comptez Monmouthsire. Curly détestait le pays de Galles.

– C'était un éminent docteur dans une grande ville là-bas, dit-elle. Je ne me souviens plus laquelle. Cousine Mattie a correspondu avec lui pendant quelque temps. Dieu sait s'il est encore en vie. Ça devait être en 1912. À l'époque les pasteurs nous ont sacrément fait tourner en bourrique avec leurs histoires de droits de douane. Aujourd'hui on n'entend plus parler de tout ça. Ils sont passés à l'intégration maintenant. »

M. Reese s'essuya les mains sur son tablier et scruta le ciel. Il dit qu'il serait surpris s'ils ne se prenaient pas une averse pendant la nuit. « Ce front s'est installé vers quatre heures trente. »

Tout cela, il le savait grâce au thermomètre-baromètre qu'il avait sur le porche à côté de la porte. C'était un gros bazar en fer-blanc pour les commerces. Dessus se trouvait un coq orange souriant – du moins autant qu'un coq pouvait sourire – vantant les mérites des cigarettes Marvel. La vulgarité brute de l'objet était douloureuse pour Mme Reese. M. Reese, lui, y prenait régulièrement des relevés dans lesquels il se plongeait ensuite.

Mme Reese ne mit pas le nez dehors avant que le soleil ne soit derrière les arbres. À cause de sa peau. Elle mangea du coleslaw et tenta de paraître accueillante de sa manière distante. Elle avait des poches sombres sous les yeux qu'une existence d'intérieur et une quantité excessive de sommeil ne faisaient qu'accentuer. La vie ne lui avait pas été favorable. Le jeune planteur qu'elle pensait avoir épousé s'était révélé n'être qu'un simple fermier. Et sa mère lui tapait sur les nerfs. Au lieu d'un gentil fils comme le docteur Lew Ayres, le bon Dieu lui avait donné un clown de tripot. Elle affirmait être une descendante de l'usurpateur Cromwell et, lors d'une assemblée des Filles de Confédérés, avait lu un long papier sur ses liens avec l'homme, vidant alors presque entièrement la salle de réception de l'hôtel Albert Pike à Little Rock. Ce qui n'était pas un maigre exploit si l'on considère le seuil de tolérance d'une assistance qui avait déjà enduré sans mot dire pendant deux jours la lecture des odes, des journaux intimes et des recettes préférées du général Pat Cleburne. Elle laissait souvent l'impression qu'elle s'était retrouvée en Arkansas par erreur, et il était de son avis, peut-être à juste titre, que seuls les gens ordinaires attrapaient des hémorroïdes.

Edmund et Joe William durent manger les cuisses de grenouilles. Personne d'autre ne voulait y toucher, à ces savoureux morceaux, bien qu'il y eût de longues discussions sur le fait qu'elles étaient considérées « comme un mets délicat » et sur le prix que chacun serait prêt à y mettre dans un bon restaurant. Mme Whichcoat emballa tous les os pour les brûler et les tenir éloignés des chiens, et récupéra ce qu'il restait de beignets de maïs pour ses poules couveuses.

Mme Reese dit : « Auriez-vous de nouvelles poules, madame ? »

Mme Whichcoat ne répondit pas tout de suite. Cela faisait un petit moment maintenant que des gens lui tombaient dessus. Elle savait comme une phrase insignifiante pouvait très vite lui poser des problèmes. Est-ce qu'elle avait encore oublié d'éteindre le gaz ? Était-ce une nouvelle attaque contre sa politique d'élevage en plein air ? Elle envisagea plusieurs prétextes à son incrimination. « Non, toujours les mêmes, dit-elle.

– C'est très étrange, dit Mme Reese, je regardais par la fenêtre du cabinet de toilette un peu plus tôt et j'ai cru en apercevoir une grise avec un chapeau sur la tête.

– Celle-là elle est à Norwood, dit Joe William. C'est une poule prodige qu'il a ramenée de Caroline du Nord.

– Ah, elle appartient donc à ces gens, dit-elle. Je me demandais, je n'aurais pu imaginer.

– C'est cocasse, dit M. Reese, un poulet avec un chapeau. J'avais encore jamais entendu un truc pareil. Mais faut croire qu'il y a un début à tout. »

Plus tard, Norwood et Rita Lee firent le tour de la maison pour jeter un œil sur l'objet de toutes ces plaisanteries. Elle était là, accroupie, seule dans la poussière, rejetée par les autres poulets. Norwood lui plongea le bec sous un robinet, dans une poêle à frire recouverte de mousse. Après quelques immersions elle finit par boire un peu. Il trouva des vers translucides sur des feuilles de lilas de Perse et les tint dans sa main en essayant de les lui faire manger. Elle n'en voulait pas. Il lui parla et lui dit comme ils étaient bons et les compara à des raisins de supermarché. « Très bien, j'vais les donner à Rita alors. Elle aime bien ça, elle.

– Écarte-moi ça de là », dit Rita Lee.

Il retira le chapeau universitaire de la tête de Joann mais elle refusait toujours de manger.

Rita Lee dit : « T'as déjà hypnotisé un poulet ?

– Jamais, non.

– Tu peux le faire.

– Comment ?

– Passe-la-moi.

– Attends une minute.

– Ça va pas lui faire mal. Ils en sortent aussi sec. »

Elle tint le menton fuyant de Joann baissé vers le sol, et traça lentement devant ses yeux une ligne dans la poussière. Quelques secondes comme ça, et le poulet resta sans bouger, comme transi.

Norwood dit : « Oh bah ça, merde alors. »

Il essaya lui aussi, et bientôt, ils eurent assises devant eux, hébétées, les onze poules Rhode-Island rouges de Mme Whichcoat. Il les regarda, puis en arrangea quatre ou cinq en rang et se tint devant elles. « Félicitations, soldats, dit-il. Continuez le bon boulot. Le commandant vient de passer dans les chambrées et y'avait des petits tas de merde tout le long du pont.

– T'es taré, Norwood, tu le sais ça ?

– Je crois bien que j'vais la reprendre avec nous.

– Tu reviens sur ta parole.

– Je sais mais elle s'entend pas avec les autres poulettes ici. »

Il plut cette nuit-là. Le vent se leva et fit gonfler les rideaux, les oiseaux s'arrêtèrent de chanter et il y eut un unique grondement de tonnerre, puis la pluie. Norwood entendit des gens fermer leurs fenêtres. Il attendit. De l'autre côté de la vitre, de l'eau gouttait sur un morceau de fer. Quand tout fut à nouveau silencieux il se leva, enfila son pantalon et ses bottines, retira une petite boîte d'allumettes de sa poche de chemise et sortit dans le couloir. La chambre de Rita Lee était au fond à côté de la salle de bains.

Le couloir avait d'inexplicables points froids, comme un lac d'eau de source. Il resta derrière la porte un moment et s'apprêta à frapper, puis décida que non et ouvrit la porte en silence. Il y eut le bruit d'une tête de lit frappant contre un mur et un mouvement frénétique et désordonné du côté de la table de nuit.

« Hé, dit-il dans un demi-chuchotement, c'est moi.

– Qui est-ce ? dit Edmund. Qui est là ? »

Norwood gratta une allumette. Edmund était recroquevillé contre la tête de lit, son stylo-plume à ses côtés. Il portait un pyjama court d'une teinte dorée.

« Oh. Je cherchais Rita Lee.

– Et tu pensais qu'elle était ici ?

– C'est pas sa chambre ?

– Non, elle est de l'autre côté du couloir.

– Ah.

– Ça, tu m'as bien fichu la frousse.

– Je voulais pas te réveiller.

– Ma foi, il n'y a pas de mal. » Il se gratta vigoureusement la tête, soixante bonnes secondes de friction. « J'ai encore du savon dans les cheveux. L'eau est extrêmement dure ici.

– J'avais pas remarqué.

– Oui, on le sent au goût. Très haute teneur en minéraux.

– Bon, je vais te laisser dormir.

– Tu as pu récupérer ton argent ?

– Ouais, il m'a remboursé.

– Alors, écoute, penses-tu pouvoir me prêter cinquante dollars ? Je te les rendrai dans deux semaines. C'est une promesse solennelle, Norwood. J'étais allongé là à me dire que, vois-tu, je vais bientôt être dans l'embarras.

– Faudra que je le récupère.

– Oui, oui, bien entendu. J'ai l'impression d'être la pire des ordures mais je n'avais personne d'autre vers qui me tourner.

– Quand est-ce que je pourrai le récupérer ?

– Dans deux semaines, je te le promets.

– D'ac. Deux semaines. »

Norwood prit cinq billets de dix dans son portefeuille et les posa au bout du lit. Edmund enfila ses lunettes, il sortit son carnet sans s'arrêter de jacasser et fit bien attention d'y noter l'adresse exacte.

« Pas de rue, juste Ralph ?

– Ouais, c'est tout. On prend le courrier directement à la poste. »

Edmund écrivit une autre adresse – à Los Angeles celle-ci –, déchira cette page de son carnet, rampa jusqu'au pied du lit et la tendit à Norwood. « Tu peux toujours me contacter via ce zig-là. » Il ramassa l'argent. « Tu es une perle, Norwood. Une véritable perle rare. »

Norwood regarda la petite page déchirée. « Pourquoi est-ce que j'aurais besoin de te contacter ?

– Eh bien, tu n'en auras pas besoin, bien sûr. Mais si tu en as envie, voilà comment.

– Tant que je récupère mon argent.

– Tu peux compter sur moi. Fais-moi confiance là-dessus. »

Norwood sortit et referma la porte derrière lui, la vision dorée et rampante encore imprimée dans son cerveau. Il traversa le couloir et entra dans la chambre de Rita Lee. « Hé, c'est moi », dit-il. Elle alluma sa lampe de chevet et l'éteignit aussitôt. Il aperçut un bref éclair de jambes, de déshabillé rouge et de bras. Il gratta une allumette. Elle était déjà passée sous les draps et les avait remontés jusque sous le menton.

« Je voulais juste jeter un œil sur toi.

– Pour quoi faire ?

– Bah, il pleuvait. Je m'suis dit que t'aurais peut-être peur.

– J'ai pas peur de la pluie. Personne a peur de la pluie.

– Y'avait aussi des éclairs. Toute seule là-dedans comme ça. Je savais pas bien.

– Tout ce que je sais c'est que j'étouffe moi, dans ce lit à plumes. On s'enfonce droit dedans.

– Comment est ton lit ?

– Je viens de te le dire. Étouffant. »

Il gratta une autre allumette. Dehors les oiseaux de nuit avaient repris : *BoisPourriBoisPourriBoisPourri... Ted-FioRito...* c'était des engoulevents de Caroline. Comment est-ce que deux oiseaux finissent par se mettre en couple ? Et puis après ?

« Norwood, écoute chéri, quelqu'un pourrait arriver.

– OK.

– D'accord ? Alors vas-y.

– Dans une minute.

– Non, maintenant.

– OK.

– J'ai même pas encore eu ma bague.

– OK.

– D'accord ?

– J'étais dans mon lit et je pensais à quelque chose, Rita Lee.

– Tu pensais à quoi ?

– Eh bah, quand on sera à la maison et qu'on aura réglé toute cette affaire, je vais t'amener manger dehors. J'ai vingt-trois ans et j'ai encore jamais invité une fille à manger, à part au drive-in. Je veux dire par là, t'emmener dîner, mais les gens disent toujours manger.

– Ça serait vraiment chouette. T'aimes la nourriture mexicaine avec plein de sauce piquante dessus ?

– Ouais.

– Moi aussi. Écoute, voilà ce que je voudrais faire : je voudrais vivre dans un mobile home et passer des disques toute la nuit. On serait tous les deux là-dedans, tu vois, avec notre petite cuisine et tout ça. Tu peux te faire un joli intérieur dans ces machins-là.

– Je sais pas pour le mobile home.

– Je crois pas qu'ils coûtent si cher. On pourrait en prendre un d'occasion.

– On verra. »

Mme Reese offrit à Rita Lee des draps et des serviettes, et d'autres petites choses, ainsi qu'une énorme valise noire avec des sangles à l'extérieur, pas neuve mais encore utilisable. Elle lui offrit aussi quelques conseils. Joe William se leva tard, il entra dans la cuisine et Norwood était là assis seul à table avec son chapeau, à boire du café en sifflant *My Filipino Baby*.

« Bonjour.

– Je pensais que tu serais en train de t'occuper du coton aujourd'hui.

– Non, pas le samedi. Ou parfois la demi-journée. Je dois passer faire une rapide vérification chez un gars de couleur dans l'aprèsmidi mais ça prendra pas longtemps. Où est le petit homme qui tient dans une bouteille ?

– Il est parti. Il s'est levé au petit jour et ton pater l'a emmené prendre son bus.

– Il a quitté le navire, hein ? Enfin, c'était un chouette petit gars.

– Ouais.

– Tu veux des tartines ?

– J'ai déjà mangé. »

Mme Whichcoat entra par la porte de derrière, un panier à œufs vide à la main. Elle le pendit dans l'office et retira ses gants de jardin marron. « Toutes les poules ont arrêté de pondre, ditelle. J'ai pas eu un seul œuf. » Il y avait une note de désespoir dans sa voix mais pas de surprise. On aurait dit qu'elle les avait toujours mis en garde, qu'un jour ou l'autre, il y aurait une trahison dans le poulailler. Elle passa dans le salon et alluma le poste de télévision.

Norwood dit : « On va devoir prendre la route nous aussi.

– Vous allez pas partir aujourd'hui ?

– Si, faut qu'on avance.

– Vous feriez aussi bien de rester le week-end maintenant. Je me disais qu'on pourrait aller à Memphis ce soir.

– Je suis sur la route depuis déjà bien trop longtemps.

– Tu veux encore du café ?

– Ouais. Est-ce que t'as une boîte ou quelque chose pour que je transporte ce poulet ?

– On va bien trouver quelque chose.

– T'en as encore pour longtemps avec ce boulot ?

– Encore deux semaines. Peut-être trois.

– C'est très dur ?

– Non, en général non. On contrôle l'arrachage. On va les voir pour s'assurer qu'ils ont bien détruit tout ce qu'ils avaient planté en trop. Ils plantent toujours trop. Je suis en train de me prendre la tête avec ce Noir. On arrive pas à voir ce qu'il a arraché. Ses champs sont pas plantés en rectangle comme tout le monde, il a fait les siens en trapèze et en ovale avec des tomates et des haricots verts qui courent dans tous les sens, donc pas facile à mesurer à moins de s'appeler Dr Vannevar Bush. Il sait que je vais bientôt me lasser et lui dire, ouais c'est bon. Enfin, ils l'ont bien eu sur la répartition des terrains de toute façon. Je lui jette pas la pierre.

– Ça a l'air dur.

– Pas vraiment.

– J'aimerais drôlement être à la maison, là.

– Tu vas droit à Shreveport ?

– Nan, d'abord à Ralph. Je vais devoir laisser Rita Lee à la maison un moment pendant que je tâte le terrain. »

Ils roulèrent jusqu'à un marécage et canardèrent des nœuds de cyprès et des serpents pendant presque une heure. Après le déjeuner ils fouillèrent un peu dans le garage et trouvèrent une cage étroite et longue dans laquelle Joann pourrait voyager. Elle avait autrefois servi de piège pour capturer des visons aussi humainement que possible. Aucun vison n'y avait d'ailleurs jamais pénétré, ce qui montrait bien son humanité. Kay passa dans sa puissante Thunderbird, que personne en ville ne voulait vraiment assurer, ils montèrent à bord et filèrent jusqu'au centre-ville où ils se garèrent sous un panneau de bus devant Junior's EAT Café. Kay donna à Rita Lee une petite boîte emballée avec un ruban dessus.

Elle l'ouvrit. « Hé, un briquet. C'est vraiment chouette. Merci.

– C'est pile ce dont ils avaient besoin, Kay, un briquet de table en onyx.

– Comment tu sais ce dont ils ont besoin ? En plus, c'est un bon. C'est du butane. »

Ils restèrent assis dans la voiture, portes ouvertes, à manger des glaces. Un jeune charpentier en salopette rayée, clous dans la bouche, réparait le porche affaissé de Junior's avec des nouvelles planches de bois jaune. Il avait ses enfants avec lui, assis à l'arrière d'un pick-up. Une petite fille aux cheveux couleur sable se balançait la tête à l'envers par la fenêtre et la secouait d'un côté à l'autre. « La vache, on dirait que le monde est en train d'exploser », dit-elle. Kay dit : « Fais pas ça, chérie, tu vas te rendre malade. » Deux boutiques plus loin, chez Kroger's, un jeune apprenti boucher s'avança dehors, regarda autour de lui, remonta son tablier, s'adossa contre le bâtiment avec une jambe pliée et fuma une cigarette.

La petite fille aux cheveux couleur sable dit : « Hé papa, viens là.

– J'arrive dans une minute.

– Viens là maintenant.

– Qu'est-ce qu'il y a ?

– Randolph veut faire pipi.

– Ma foi, tu peux l'aider.

– Ouais, mais j'ai pas envie, papa.

– Oh bon Dieu. »

Le bus arriva et Norwood et Rita Lee y grimpèrent avec leur butin, puis Norwood retourna à l'avant et descendit sur la marche. Joe William lui dit : « Tiens-moi au courant de comment tu t'en sors là-bas avec Roy Acuff et Hank Williams et tous ces gars-là.

– Roy Acuff est à Nashville, Tennessee, et Hank Williams est mort. Ça fait un moment qu'il est mort.

– Bah, alors avec les autres. Écoute, champion, je suis désolé d'avoir autant traîné pour le fric.

– T'en fais pas. Faudra venir nous voir quand on se sera trouvé un chez-nous.

– Ouais, avec plaisir. On verra comment ça se passe. J'en sais rien. T'as vu comme c'était ici, un peu délicat. Reviens quand tu peux rester plus longtemps.

– On se voit bientôt, vieux briscard. Prends soin de toi.

– OK. »

L'air conditionné faisait du bien. Rita Lee avait le siège côté fenêtre. Elle lisait ses magazines à l'eau de rose, des histoires sur des tas de pleurnichardes incapables de voir la différence entre des vendeurs ambulants et des Norwood. Quelles andouilles ! Elles ne devaient s'attendre à aucune pitié de la part de Rita Lee, elle qui avait pourtant pleuré des larmes amères en leur compagnie. Dans les dernières pages d'un des magazines elle tomba sur une réclame intéressante. On y proposait de recevoir, par courrier et avec facilités de paiement, un coffret de mariage à 79,95 dollars comprenant une bague de fiançailles avec un solitaire en diamant d'un nombre de carats non spécifié et deux alliances en or. *Aide-moi brochure gratuite de bonnes affaires,* disait le coupon, *et dis-moi comment la vente au volume peut être synonyme de GROSSES ÉCONOMIES pour moi, au lieu de GROS PROFITS pour le joaillier !* La publicité montrait un homme portant un Stetson et une loupe de bijoutier dans l'œil. Il tenait deux six-coups et tirait sur des ballons marqués *Diamants à prix élevés* qui explosaient au-dessus de sa tête. En dessous était écrit *Oui, Grady Fring les fait CHUTER !* Rita Lee déchira la publicité et la mit de côté. Elle en discuterait plus tard avec Norwood, au moment opportun. Ce n'était pas le genre de choses avec lesquelles l'interrompre.

Elle vit aussi autre chose d'intéressant. Dans un virage non loin de Little Rock, un plein bus de Lions s'était retourné. Le bus était dans le fossé, renversé sur le côté, les roues avant tournant encore doucement. Et les Lions émergeaient l'un après l'autre par la trappe de secours du côté gauche, désormais sur le dessus. L'un d'eux était étendu dans l'herbe, peut-être mort. Pas de baseball pour lui. D'autres boitaient, sautillaient sur place et se tenaient la tête. Un autre, chemise déchirée sur le dos, était assis sur une valise au sommet du bus. Il ne levait pas le petit doigt pour aider, mais il saluait, d'un long coup de corne de brume à air comprimé, chaque membre du Lions survivant qui passait la tête par la trappe de sécurité. Le gros bus Trailways se mit à ralentir. Quand l'homme l'aperçut il se retourna avec son bruyant outil et envoya une autre décharge sonore, sans aucun doute à l'attention du conducteur. Norwood était en train de discuter de l'autre côté de l'allée avec un homme aux yeux globuleux qui avait fait faillite dans le Mississippi en vendant à crédit de la bière à 3,95 dollars la caisse. Ils manquèrent tous les deux le moment de la décharge sonore. Ils aidèrent cependant à faire monter les blessés dans les ambulances. L'ancien tavernier trouva un dollar en argent dans l'herbe et le garda pour lui.

À Texarkana cette nuit-là, Norwood appela la station Nipper à Ralph pour demander à Clyde Rainey de descendre chez lui et de prévenir Vernell qu'il était arrivé à la gare routière et qu'elle vienne le chercher avec la Fleetline. Clyde lui fit part de sa peur à propos de la Fleetline. Il ajouta qu'il pouvait envoyer un garçon avec le camion de service pour le récupérer. Il en serait même ravi. Norwood lui dit que non, que ça irait très bien et de simplement dire à Vernell d'y aller tranquille.

Rita Lee demanda : « Ça va prendre combien de temps ?

– Une bonne heure », dit Norwood. Il donna un peu d'eau à Joann, puis rassembla toutes leurs affaires en pile contre le mur. Ils s'assirent et attendirent. Norwood ne remarqua pas Tilmon Fring là-bas à côté des flippers. Tilmon regardait le sport les mains dans les poches. Il portait la même veste de costume et avait toujours le paquet orange de papier à cigarettes coincé dans la bande de son chapeau comme une pimpante carte de presse.

Rita Lee dit : « Qu'est-ce que t'as comme cadeau pour ta sœur ? »

Norwood répondit : « Rien.

– Tu devrais lui prendre quelque chose, chéri. Même un petit quelque chose. Les filles ça adore les cadeaux.

– T'as peut-être pas tort. »

Norwood ne voulait pas laisser leurs bagages sans surveillance mais Rita Lee dit qu'elle ne pensait pas que quiconque risquait d'y toucher alors qu'il y avait un poulet dans le tas. Norwood ne comprit pas vraiment ce qu'elle entendait par là. Ils laissèrent quand même leurs affaires et parcoururent quelques pâtés de maisons pour trouver une épicerie ouverte. Il acheta en promotion une boîte de cerises enrobées de chocolat. Ça lui parut un peu léger une fois sortie de la vitrine et dans le sac. Il acheta alors un petit coussin pour aller avec, bleu brillant avec des franges dessus et une photo de la poste, à cheval entre les deux États, avec les mots « Salutations de Texarkana, U.S.A. Ville de l'Arsenal Red River ». Il était aussi en promotion. Il n'acheta rien pour Bill Bird.

Rita Lee dit : « Elle ressemble à quoi ta sœur ? Elle te ressemble un peu ? »

Norwood dit : « Un peu. » Puis lui montra un cliché qu'il gardait dans son portefeuille.

Rita Lee l'étudia. « Les gens avec des grosses joues doivent faire gaffe à comment ils se coiffent, dit-elle. Qu'est-ce qu'elle fait dans cette décharge ?

– C'est chez nous.

– Où est la maison ? Je vois pas l'ombre d'une maison.

– Elle est là plus loin sur le côté. Tu peux voir un peu l'angle du porche de derrière, là de l'autre côté du chien. Le jardin ne ressemble plus à ça maintenant. Je l'ai sacrément bien nettoyé.

– On dirait bien que celui-là ferait un bon petit chien de garde. C'est quoi son nom ?

– C'était Buster. Je sais pas ce que c'est maintenant. Il s'est pointé à la station un jour et je l'ai gardé. Je l'ai fait vacciner et je lui ai mis un collier et il est resté presque un an et puis il est reparti. J'ai jamais pu le retrouver, ce bandit.

– Un négro l'aura sûrement chapardé. Je suis sûre qu'ils volent les petits chiens.

– Peut-être bien. Ou alors il s'est fait écraser.

– Écoute Norwood, combien de temps ça prend pour se marier au Texas ?

– J'en sais rien. Pas longtemps je pense.

– Je veux dire, faire les papiers et le reste. La totale.

– J'avais compris mais je sais pas le temps que ça prend. Deux ou trois jours, j'imagine. Vernell s'est mariée en Arkansas. Elle a accroché son contrat de mariage au-dessus de son lit.

– J'aimerais bien que ça aille plus vite et qu'on arrive enfin. J'ai mal aux yeux.

– On y sera bientôt. »

Ils n'étaient plus très loin de la gare routière quand Norwood entendit quelqu'un l'appeler. Il comprit qui c'était et essaya bêtement de faire comme s'il ne l'entendait pas. Rita Lee s'arrêta et dit : « Hé, ce type là-bas, il t'appelle. » L'Invicta de Grady Fring était garée de l'autre côté de la rue sur la voie d'accès d'une station-service fermée. Le moteur tournait au ralenti mais faisait autant de bruit qu'un rat pissant sur un sac de coton. Grady les regardait par-dessus le toit de sa voiture. « C'est moi, dit-il. J'aimerais bien te dire un mot si tu veux bien. » Rita Lee dit : « C'est qui ça ? » Norwood répondit : « C'est un type que je connais. Retourne donc à la gare et garde un œil sur nos affaires. J'arrive dans une minute. »

Norwood traversa la rue. Grady, un sourire aux lèvres, attendait à l'extérieur de sa voiture, un bras posé sur sa porte ouverte. Norwood avait oublié à quel point il était grand. « Allons bon, t'es de retour », dit Grady. Il tendit sa main, Norwood l'attrapa et la serra brièvement. « J'avais l'impression que tu essayais peut-être de m'éviter.

– Il allait bien falloir que je vous revoie un jour ou l'autre.

– Oui, en effet. La pouliche c'est qui ?

– La quoi ?

– La fille, qui c'est la fille ?

134

– Comment vous l'avez appelée ?

– Une pouliche. C'est rien de mal. Ça veut juste dire une jolie fille.

– Je crois pas que c'est ce que ça veut dire.

– T'es bien bourru, Norwood. Sur la défensive même. Y'a de la peur dans ta voix. Je connais ça.

– Qu'est-ce que vous me voulez ?

– Commençons par ce qui est arrivé à mes voitures ?

– Elles étaient volées vos voitures, monsieur Fring. Et vous le savez.

– Où est-ce qu'elles sont ?

– Je les ai laissées dans l'Indiana.

– Où ça dans l'Indiana ?

– J'en sais rien. Quelque part. Je m'en souviens pas.

– Est-ce que la police a eu quelque chose à voir là-dedans ?

– Nan.

– Tu les as simplement abandonnées.

– Ouais.

– Et Yvonne ? Je sens sa patte derrière tout ça. Cette grossière Mlle Phillips.

– Eh bah quoi ?

– Où est-elle ? Où est-elle allée ?

– J'en sais rien où elle est allée.

– Et toi, où est-ce que t'étais pendant tout ce temps ?

– Je suis allé voir quelqu'un.

– Qui ?

– Pas vos oignons.

– Écoute, petit, essaye pas de jouer au plus malin avec moi. Je vais te demander de changer de ton. Tout ce que je veux pour l'instant c'est clarifier deux trois choses. Tu m'as coûté un sacré paquet de blé et beaucoup de soucis. T'es peut-être même bien dans un sacré pétrin. Je veux connaître l'étendue des dégâts. Tu crois pas que j'ai quand même le droit de savoir ? Et puis, j'aime pas beaucoup ça. J'aime pas beaucoup comme t'as abusé de ma bonne foi dans cette histoire.

– Je vois pas pourquoi je serais dans le pétrin.

– Ça c'est seulement parce que tu es trop bête. Qu'est-ce que t'as fait des papiers des voitures ? Les cartes grises, la carte de crédit, tout ça ?

– J'ai tout laissé dans la voiture. Dans les voitures.

– Toi t'es vraiment pas piqué des hannetons.

– Alors écoutez-moi bien, à partir de maintenant j'en ai plus rien à faire de vous ou de ces bagnoles. J'ai plus rien à vous dire. Tenez, voilà votre montre, escroc.

– Oui l'ami, vraiment pas piqué des hannetons », dit Grady. Il prit la montre, la laissa tomber sur le bitume sans même la regarder et l'écrasa avec le talon de sa chaussure. « Je pourrais te faire envoyer en taule, ici et maintenant, si je le voulais, t'en es conscient ?

– Ah ouais, et pour quoi ?

– Pour le premier truc qui me passerait par la tête. Vagabondage, clochardise.

– Je crois pas que vous puissiez.

– Ah non ? Et tu penses pas que ta maison pourrait prendre feu pendant la nuit cet hiver ? Quelle tragédie ce serait. Je te conseille de tenir ta langue, Norwood, de bien réfléchir à tout ça et de me donner des réponses claires. *Illico*. On est partis du mauvais pied. Reprenons depuis le début. On ne communique pas correctement toi et moi, et je crois savoir pourquoi. Tu penses que la situation est bien plus désespérée qu'elle ne l'est en réalité. C'est vrai, tu me dois de l'argent pour les voitures, mais on peut arranger ça. Je peux te prendre comme gardien de nuit temporaire à la ferme à appât. Et peut-être que plus tard on pourra…

– Brûler ma maison ? C'est ça que vous venez de dire ?

– Je n'ai pas dit que moi, le Roi du Crédit, je brûlerai ta maison, non. Tu m'as mal compris. Mais ce sont des choses qui arrivent, il faut bien l'avouer. Des choses qui touchent les riches tout autant que les pauvres. Enfin, en y réfléchissant, je pense qu'elles touchent les pauvres plus souvent que les riches, du fait de leurs systèmes de chauffage, de qualité nécessairement moindre. Les poêles à mazout sont de bien traîtres appareils. Bien entendu les riches risquent, eux, de perdre davantage en cas d'incendie. Il y a une certaine dureté dans la justice de ce monde. Beaucoup de nos philosophes se sont penchés là-dessus.

– Vous êtes taré.

– Méfie-toi. Tu prends des libertés. Ne va pas faire encore empirer les choses. Oublie pas que c'est à la fin de la foire qu'on compte les bouses, gamin. »

Norwood tremblait. « J'en ai fini de discuter », dit-il, et il fit un pas pour partir.

Grady claqua la portière et leva une main, comme un agent de circulation. « Holà, pas moi, dit-il.

– Dégage de mon chemin, oiseau de malheur ! »

Grady ne bougea pas assez vite et Norwood frappa et l'atteignit d'un crochet du droit sur la tempe. Grady effectua une sorte de course ou de danse de quelques pas sur le côté et tomba, un genou et une main à terre. Norwood fondit sur lui comme un lynx. Ils se renversèrent tous les deux et l'arrière de la tête de Grady rebondit sur le béton huileux. Norwood le frappa cinq ou six fois droit dans le nez et la bouche, puis appuya son avant-bras sur le cou de Grady aussi fort qu'il put. « Qu'est-ce que tu vas faire maintenant, hein ! Eh bah vas-y, dis-moi c'que tu vas faire ! Alors vas-y, gros dur ! »

Norwood entendit quelqu'un crier et quand il comprit que ce n'était pas lui il leva les yeux et vit une femme plus loin sous la lumière du trottoir. « Y'a une baston ! disait-elle. Y'a une baston là devant la station essence Amoco ! Bon Dieu, ils sont en train de s'étriper ! » Norwood se releva d'un bond, elle couina et s'enfuit. Il se lécha les phalanges, souffla dessus et secoua la main. Grady se redressa et grogna. Puis, lentement, il se remit sur pied, toussant et crachant. Il était là, plié en deux, se tenant la gorge. Sa lèvre inférieure était gonflée, éclatée comme une saucisse chaude, et du sang gouttait sur ses belles chaussures et son pantalon au pli impeccable. Il s'appuya d'une main contre la voiture et prit de grandes inspirations bruyantes et rauques.

Deux jeunes avec des têtes de vagabond, dont un portait un bomber de l'armée, étaient debout sur le trottoir et les observaient. Norwood leur dit : « Retournez à vos affaires, vous autres. Y'a plus rien à voir. » Ils s'attardèrent. Norwood éleva la voix. « J'ai dit foutez le camp. » Ils s'éloignèrent d'un pas nonchalant, en prenant bien leur temps. Norwood regarda Grady goutter pendant un moment. « J'en ai rien à faire de ces voitures, dit-il. Alors tu me laisses tranquille, pigé ? Viens pas me chercher des noises. T'approche pas de moi ou de ma maison ou de n'importe qui là-bas. La prochaine fois je t'éclate la tête à coups de démonte-pneu. Je te fais la peau. C'est tout ce que j'ai à te dire. »

Rita Lee attendait à l'entrée de la gare routière. « Mais bon Dieu ? dit-elle.

– C'était rien du tout, fit-il.

– Mon œil oui. C'était qui ? » Elle regarda les marques de graisse sur son pantalon et vit sa main rouge et gonflée. « Mais, Norwood, tu t'es battu !

– J'ai travaillé pour lui par le passé. Il m'embêtait, je lui ai dit d'arrêter et il a continué.

– Tu lui as filé une raclée ?

– Faut croire. C'était pas bien dur.

– Je parie que tu lui en as fait baver. Qu'est-ce que j'aurais aimé voir ça. Il a beaucoup juré ?

– Nan, pas beaucoup. Et si tu me sortais ton pot de Noxzema ? »

Tilmon, un filament de cristal tremblant lui pendant d'une narine, s'approcha les mains dans les poches et les regarda, un sourire dément aux lèvres, tandis que Rita Lee passait de la pommade sur les phalanges de Norwood. « Qu'est-ce que tu veux ? dit Norwood. Essuie-toi le nez. »

Rita Lee chuchota : « Chéri, ne le provoque pas, il a un air de détraqué sexuel. Il est peut-être dangereux. Y'en a un qui appelle ma sœur au téléphone sans arrêt. Ils arrivent pas à le pincer. Ils disent qu'il a l'esprit dérangé. »

Norwood dit : « Y'a personne qui va appeler chez moi, ça c'est sûr. »

Au moment critique, Tilmon leva le bras et s'essuya le nez avec sa manche puis essuya sa manche sur sa veste. « Je t'ai vu quand t'es entré, dit-il. J'ai appelé Grady pour lui dire. Hi hi hi. Je me souvenais bien de ton chapeau.

– Ton frère est à la station Amoco, là-bas, dit Norwood. Il veut te voir.

– Je t'ai vu avec la fille. Grady pensait que c'tait l'autre fille et je lui ai dit que c'tait pas elle. Grady c'est une vedette, pas vrai ?

– Ouais, c'est une vedette, et toi t'es pas piqué des hannetons. Allez, file et va donc t'occuper de lui. »

Bill Bird fit remarquer que la place des bestiaux était dans le coffre, mais Norwood répondit que c'était bien trop poussiéreux là derrière. Bill Bird était sur la banquette arrière, les pieds posés sur la cage à visons de Joann. Rita Lee s'était endormie presque aussitôt après s'être installée dans la voiture et elle dormit pendant tout le trajet jusqu'à Ralph, bruit de bielle ou pas. Vernell mangea ses chocolats à la liqueur de cerise et posa tout un tas de questions sur la fille et sur le poulet. Norwood y répondit nerveusement. Il conduisit en prenant bien son temps à cause de la bielle encrassée. Recroquevillée sur la banquette avant, Rita Lee avait la tête posée sur ses genoux. Sur l'autoroute, tout le monde les dépassait, même les pick-up miteux avec un seul phare. Bill Bird, parlant fort pour couvrir le bruit du cliquetis et des 50 km/h de vent qui s'engouffraient par la fenêtre cassée, dit : « Je remarque qu'il n'a encore rien dit à propos de l'argent.

– Oui c'est vrai ça, frangin ? dit Vernell. Tu l'as eu l'argent ?

– Ouais, je l'ai eu.

– Ma foi, j'espère qu'il est heureux maintenant, dit Bill Bird. Toute une histoire.

– Oui c'est vrai ça, frangin, t'es heureux d'avoir eu ton argent ?

– T'es un vrai perroquet, Vernell, dit Norwood. Ouais, je suis content. Pose pas des questions idiotes.

– Pas besoin de m'engueuler.

– Bah, j'en ai ma claque des questions ce soir. M'en pose plus avant demain.

– Quand j'étais dans la zone du Canal, les gars du corps des

Signaleurs avaient un perroquet célèbre, dit Bill Bird. C'était leur mascotte. Un perroquet mascotte. Ils l'avaient entraîné à parler au téléphone… »

Norwood n'était pas d'humeur pour une histoire sur le Panama. Il alluma la radio qui mit un moment à chauffer, la faute aux nids de guêpes sur les tubes et, le temps que le volume monte, Bill Bird avait déjà terminé son histoire. Ils écoutèrent XEG Radio, Monterrey, Mexico, pour le reste du trajet, parce que c'était la station la plus bruyante que Norwood avait pu trouver. « Mais écoute-moi donc ça, s'exclama Bill Bird. Qui diable pourrait vouloir des dessus de tables en toile cirée avec des imprimés de *La Cène* ? » Vernell répondit : « Pas moi. Je les trouve vulgaires. » Norwood s'engagea sur les graviers de l'allée bordée de pierres blanches. Il arrêta la voiture tout contre le porche et éteignit le contact. Enfin chez lui. Il s'étira. Rita Lee gémit comme une enfant quand il essaya de la réveiller. Il la porta à l'intérieur et la posa sur le canapé. « C'est un joli bout de fille, dit Vernell, ça m'étonne que t'aies réussi à t'en trouver une aussi jolie dans un bus. » Bill Bird ajouta : « Oui, je me suis moi-même posé la question. J'espère qu'elle n'a rien qui cloche. » Norwood dit : « Occupe-toi de tes oignons, Bill Bird » et retourna vers la voiture pour récupérer le reste des affaires.